Deutsch als Fre

Daniela Niebisch
Sylvette Penning-Hiemstra
Franz Specht
Monika Bovermann

# Schritte plus 1

**Kursbuch**
**+ Arbeitsbuch**

Niveau A1/1

Hueber Verlag

**Beratung:**
Renate Aumüller, Münchner Volkshochschule
Barbara Gottstein-Schramm, München
Isabel Krämer-Kienle, München
Susanne Kalender, Duisburg
Marion Overhoff, Duisburg
Rainer Wiedemann, München
Renate Zschärlich, Berlin

**Fotogeschichte:**
Fotograf: Alexander Keller
Darsteller: Grit Emmrich-Seeger, Marcus Kästner, Susanne Länge, Yevgen Papanin, Jana Weers
Organisation: Sylvette Penning, Lisa Mammele

**Für die hilfreichen Hinweise danken wir:**
Ulrike Ankenbrank, Barbara Békési, Susanne Kalender, Katja Meyer-Höra, Raffaella Pepe,
Anne Robert, Eva Winisch und den Kursleiterinnen und Kursleitern der Volkshochschule Berlin-Mitte

**Interaktive Aufgaben für den Computer:**
Barbara Gottstein-Schramm, München



12. 11. 10. | Die letzten Ziffern
2020 19 18 17 16 | bezeichnen Zahl und Jahr des Druckes.
Alle Drucke dieser Auflage können, da unverändert,
nebeneinander benutzt werden.
1. Auflage

Zeichnungen: Hueber Verlag/Jörg Saupe
Layout: Marlene Kern, München
Lektorat: Dörte Weers, Jutta Orth-Chambah, Marion Kerner, Juliane Wolpert, Hueber Verlag, Ismaning
Druck und Bindung: PHOENIX PRINT GmbH, Deutschland
Printed in Germany
ISBN 978-3-19-001911-3
ISBN 978-3-19-011911-0 (mit CD)

Art. 530_10016_001_14

# AUFBAU



## Symbole / Piktogramme

| Kursbuch | | Arbeitsbuch | |
|---|---|---|---|
| Hörtext auf CD | CD 1 05 | Hörtext auf CD | CD 3 12 |
| Grammatik | Nico ➜ er | Vertiefungsübung | Ergänzen Sie. |
| Hinweis | 1 kg = ein Kilo | Erweiterungsübung | Ergänzen Sie. |
| Aktivität im Kurs | | Verweis *Schritte plus Portfolio* (ISBN 978-3-19-241911-9) | ➜ Portfolio |
| Redemittel | *Wie heißen Sie? Wie ist Ihr Name?* | | |
| Verweis auf *Schritte Übungsgrammatik* (ISBN 978-3-19-301911-0) | ➜ ÜG, 10.01 | | |

# **Inhalt** Kursbuch

# Vorwort

**Liebe Leserinnen, liebe Leser,**

*Schritte plus* ist ein Lehrwerk für die Grundstufe.
Es führt Lernende ohne Vorkenntnisse in jeweils zwei Bänden zu den Sprachniveaus A1, A2 und B1.

*Schritte plus* orientiert sich genau

- an den Vorgaben des Gemeinsamen Europäischen Referenzrahmens und

Das Plus
- an den Vorgaben des Rahmencurriculums des Bundesministeriums des Inneren.

Gleichzeitig bereitet *Schritte plus* gezielt auf die Prüfungen *Start Deutsch 1* (Stufe A1), *Start Deutsch 2* (Stufe A2), den *Deutsch-Test für Zuwanderer* (Stufe A2–B1) und das *Zertifikat Deutsch* (Stufe B1) vor.

**Das Kursbuch**
Jede der sieben Lektionen eines Bandes besteht aus einer Einstiegsdoppelseite, fünf Lernschritten A–E, einer Übersichtsseite sowie einem Zwischenspiel.

**Einstieg:** Jede Lektion beginnt mit einer Folge einer unterhaltsamen Foto-Hörgeschichte. Die Episoden bilden den thematischen und sprachlichen Rahmen der Lektion.

**Lernschritt A–C:** Diese Lernschritte bilden jeweils in sich abgeschlossene Einheiten und folgen einer klaren, einheitlichen Struktur:
In der Kopfzeile jeder Seite sehen Sie, um welchen Lernstoff es geht. Die Einstiegsaufgabe führt den neuen Stoff ein, indem sie an die gerade gehörte Foto-Hörgeschichte anknüpft. Grammatik-Einblendungen machen die neu zu lernenden Sprachstrukturen bewusst. Die folgenden Aufgaben dienen dem Einüben der neuen Strukturen – zunächst meist in gelenkter, dann in freierer Form. Den Abschluss des Lernschritts bildet eine freie, oft spielerische Anwendungsübung oder ein interkultureller Sprechanlass.

**Lernschritt D und E:** Hier werden die vier Fertigkeiten – Hören, Lesen, Sprechen und Schreiben – nochmals in authentischen Alltagssituationen trainiert und systematisch erweitert.

**Übersicht:** Die wichtigen Strukturen, Wendungen und Strategien einer Lektion sind hier systematisch aufgeführt.

Das Plus
**Zwischenspiel:** Landeskundlich interessante und spannende Lese- und Hörtexte mit spielerischen Aktivitäten runden die Lektion ab.

**Das Arbeitsbuch**
Im integrierten Arbeitsbuch finden Sie:
- Übungen zu den Lernschritten A–E des Kursbuchs in verschiedenen Schwierigkeitsgraden, um innerhalb eines Kurses binnendifferenziert mit schnelleren und langsameren Lernenden zu arbeiten
- Übungen zur Phonetik
- Anregungen zum autonomen Lernen in Form eines Lerntagebuchs
- Aufgaben zur Vorbereitung auf die Prüfungen
- zahlreiche Möglichkeiten, bereits gelernten Stoff zu wiederholen und zu üben

Das Plus
- Lernwortschatz zu jeder Lektion
- systematisches Schreibtraining
- Übungen, die zum selbstentdeckenden Erkennen grammatischer Strukturen anleiten

Das Plus
**Fokus-Seiten**
greifen die Lernziele des Bundesministeriums des Inneren auf und bieten zahlreiche zusätzliche Materialien zu den Themen Familie, Beruf und Alltag, um den speziellen Bedürfnissen einer Lerngruppe gerecht zu werden. Sie können fakultativ bearbeitet werden. In *Schritte plus 1* gibt es zu jeder Lektion zwei Fokus-Seiten, beginnend ab Lektion 2. Zu vielen Fokus-Seiten sind weiterführende Projekte vorgesehen, die im Lehrerhandbuch (ISBN 978-3-19-051911-8) ausführlich erläutert werden.

*Schritte plus* ist wahlweise mit integrierter Arbeitsbuch-CD erhältlich. Sie bietet
- die Hörtexte und Phonetikübungen des Arbeitsbuchs
- Das Plus: interaktive Übungen für den Computer zu allen Lektionen

Was bietet *Schritte plus* darüber hinaus
- Selbstevaluation: Mithilfe eines Fragebogens können die Lernenden ihren Kenntnisstand selbst überprüfen und beurteilen.

Im Internetservice unter *www.hueber.de/schritte-plus* finden Sie zahlreiche Übungen, Kopiervorlagen, Texte sowie eine Aufstellung über die vielfältigen zusätzlichen Materialien – wie eine Übungsgrammatik, Portfoliomaterialien, Lektürehefte, Poster, Intensivtrainer und vieles mehr.
Für Eltern-/Jugendkurse oder berufsorientierte Kurse gibt es dort ergänzende und erweiternde Arbeitsblätter und Unterrichtssequenzen.

Viel Spaß beim Lehren und Lernen mit *Schritte plus*
wünschen Ihnen
Autoren und Verlag

# Die erste Stunde im Kurs

CD 1 02-10

**1** **Sehen Sie die Fotos an und hören Sie.**

**2** **Wer ist das?**

~~Nikolaj~~ • Sara • Bruno

Das ist ...*Nikolaj*... .

Das ist ............ .

Das ist ............ .

02-10 **3** **Hören Sie noch einmal. Wer sagt das? Ordnen Sie zu.**

| | |
|---|---|
| | Hans Müller? |
| | Papa! Papa! |
| Sara | Wie heißen Sie? |
| Nikolaj | Das ist Nikolaj. |
| Bruno | Mein Name ist Nikolaj Miron. |
| | Ich komme aus der Ukraine. |
| | Nein, ich bin nicht Herr Müller. Ich heiße Schneider. Bruno Schneider. |
| | Danke! Vielen Dank! |

# Guten Tag. – Hallo!

CD 1 11

## A1 Hören Sie noch einmal. Wer sagt das?

Guten Tag.
Hallo.
Auf Wiedersehen.
Tschüs.

CD 1 12

## A2 Hören Sie und ordnen Sie zu.

1

2

3

4

[3] ● Auf Wiedersehen, Herr Schröder.
▲ Tschüs, Felix.

[ ] ■ Guten Abend, meine Damen und Herren. Willkommen bei „Musik ist international".

[ ] ▼ Guten Morgen, Frau Schröder.
■ Guten Morgen. Oh, danke. Wiedersehen.

[ ] ■ Gute Nacht.
◆ Nacht, Mama.

| Guten | Morgen. | Auf Wiedersehen. |
|---|---|---|
| | Tag. | Gute Nacht. |
| | Abend. | |
| Hallo. | | Tschüs. |

## A3 Sprechen Sie im Kurs.

06.30 — Guten Morgen, Frau Eco. — Guten Morgen.

13.00 — Guten Tag, Herr ... — Guten Tag.

20.45 — Guten Abend, Alexander. — Guten Abend.

6 Uhr – 11 Uhr: Guten Morgen.
11 Uhr – 18 Uhr: Guten Tag.
18 Uhr – ... : Guten Abend.

06.30 | 09.00 | 13.00 | 15.30 | 17.30 | 19.30 | 20.00 | 22.00

## B1 Wer sagt das? Ordnen Sie zu.

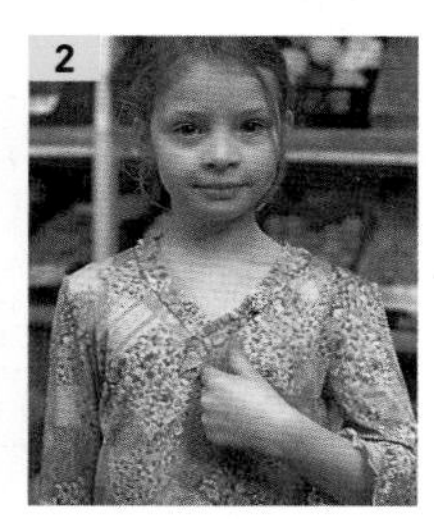

[3] Ich heiße Nikolaj. [ ] Und wie heißen Sie? [ ] Ich bin Sara. [ ] Das ist Schnuffi.

## B2 Hören Sie und lesen Sie die Gespräche. Ergänzen Sie die Namen.

13

*Michaela Zuber* ........................ ........................ ........................

- ● Guten Tag. Mein Name ist Andreas Zilinski.
- ▲ Guten Tag, Herr ... Entschuldigung, wie heißen Sie?
- ● Andreas Zilinski.
- ▲ Ah ja. Guten Tag, Herr Zilinski. Ich bin Michaela Zuber.
- ● Guten Tag, Frau Zuber.

- ■ Das ist meine Kollegin Frau Zuber.
- ◆ Guten Tag, Frau Zuber.
- ▲ Guten Tag. Und wer sind Sie?
- ◆ Ich bin Silvia Kunz.

| | |
|---|---|
| Wie heißen Sie?<br>Wer sind Sie? | Ich heiße ...<br>Ich bin ...<br>Mein Name ist ... |

## B3 Und jetzt Sie! Spielen Sie die Gespräche aus B2 im Kurs.

## B4 Suchen und zeigen Sie ein Foto. Fragen Sie.

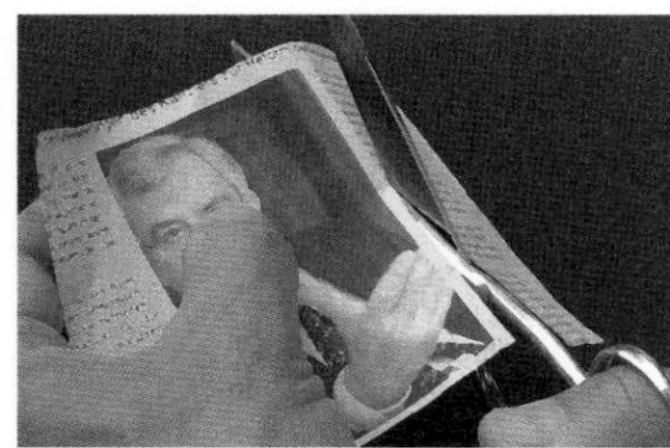

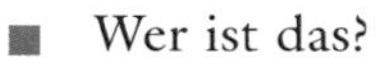

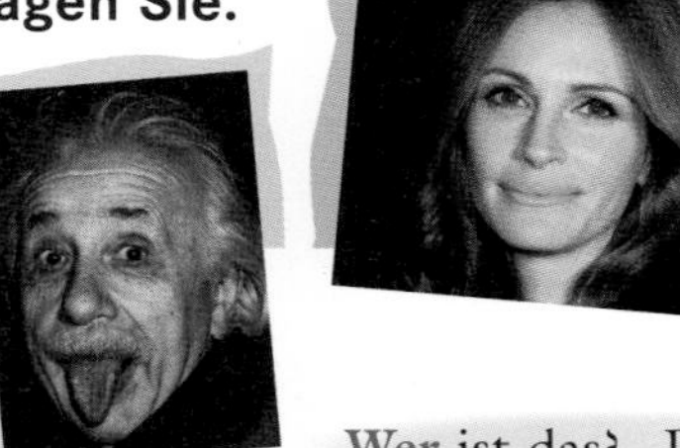

© Disney

Wer ist das? Das ist ...

- ■ Wer ist das?
- ● Das ist ...
- ■ Ja, stimmt. / Nein.

- ■ Wer ist das?
- ▲ Ich weiß es nicht.

**Schon fertig?**

Schreiben Sie Gespräche wie in B2.
Beispiel: *Guten Tag. Mein Name ist Donald Duck.*

# Ich komme aus der Ukraine.

CD 1 14

## C1 Hören Sie und ergänzen Sie.

~~Ich heiße~~ • kommst du • kommen Sie • bist du

A

- ● Guten Tag. Mein Name ist Nikolaj Miron.
- ▲ Guten Tag. Freut mich. *Ich heiße* Jutta Wagner. Woher ………………, Herr Miron?
- ● Aus der Ukraine.

B

- ● Hallo. Ich bin Nikolaj. Und wer ………………?
- ■ Ich bin Oliver. Woher ………………, Nikolaj?
- ● Aus der Ukraine.

| | | |
|---|---|---|
| Woher kommen Sie? | Aus | Deutschland / … |
| Woher kommst du? | | München / … |

## C2 Ergänzen Sie.

a ● Herr Meier, woher komm*en* ………… ?
▲ Aus Deutschland.

b ■ Peter, woher komm……. *du*….. ?
◆ Aus Österreich.

c ● Frau Thalmann, woher komm……. ………… ?
■ Aus der Schweiz.

d ◆ Karim, woher komm……. ………… ?
● Aus dem Irak.

| aus | aus dem | aus der |
|---|---|---|
| Deutschland | Irak | Schweiz |
| Österreich | Iran | Türkei |
| Afghanistan | Jemen | Ukraine |
| Kroatien | Sudan | … |
| Kasachstan | … | |
| Marokko | | |
| Russland | | |
| Tunesien | | |
| Vietnam | | |
| … | | |

## C3 Wie heißen Sie? Und woher kommen Sie? Fragen und antworten Sie.

*Wie heißen Sie?*
*Wie heißt du?*
*Woher kommen Sie?*
*Woher kommst du?*

15

## C4 Hören Sie und ergänzen Sie.

sprechen • sprichst • spreche • ~~heißt~~ • bist • kommen • kommst • bin

Wer bist du?
Wie heißt du?
Was sprichst du?

- ● Hallo! Ich bin Lars von Radio „Multi-Kulti“. Und wie *heißt* du?
- ■ Ali.
- ● Woher ........ du, Ali?
- ■ Aus der Türkei.
- ● Du ........ aber gut Deutsch! Und du? Wer ........ du?
- ◆ Ich ........ Renan. Ich ........ auch Deutsch und Türkisch.

- ● Woher ........ Sie, Herr Taylor?
- ▲ Aus den USA, aus Chicago.
- ● Sie ........ aber gut Deutsch.
- ▲ Nein, nein. Nur ein bisschen.

## C5 Im Kurs: Fragen Sie und machen Sie eine Wandzeitung.

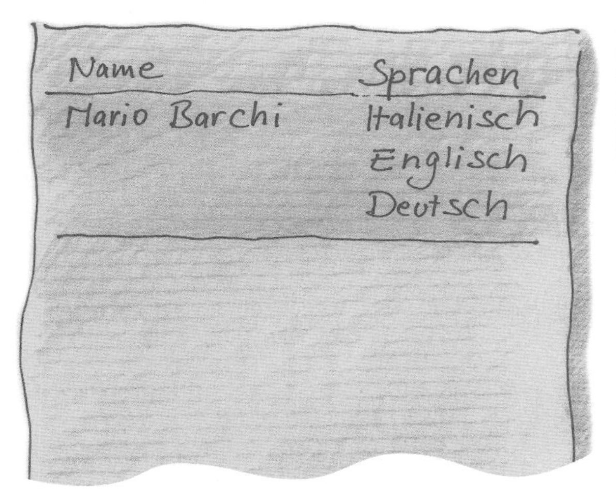


Ich spreche gut Italienisch, Englisch und ein bisschen Deutsch.

**Sprachen**
Arabisch
Deutsch
Englisch
Französisch
Italienisch
Kroatisch
Persisch
Russisch
Serbisch
Spanisch
Türkisch
Ukrainisch
Vietnamesisch

Was sprechen Sie? Deutsch.
Was sprichst du? Russisch und ein bisschen Deutsch.

CD 1 16

## D1 Hören Sie und sprechen Sie.

| Aa | Bb | Cc | Dd | Ee | Ff | Gg | Hh | Ii | Jj |
|---|---|---|---|---|---|---|---|---|---|
| *a* | *be* | *ce* | *de* | *e* | *ef* | *ge* | *ha* | *i* | *jot* |
| **Kk** | **Ll** | **Mm** | **Nn** | **Oo** | **Pp** | **Qq** | **Rr** | **Ss** | **Tt** |
| *ka* | *el* | *em* | *en* | *o* | *pe* | *ku* | *er* | *es* | *te* |
| **Uu** | **Vv** | **Ww** | **Xx** | **Yy** | **Zz** | | | | |
| *u* | *vau* | *we* | *ix* | *Ypsilon* | *zett* | | | | |
| **Ää** | **Öö** | **Üü** | **ß** | | | | | | |
| *ä* | *ö* | *ü* | *eszett* | | | | | | |

## D2 Markieren Sie unbekannte Buchstaben.

Suchen Sie in der Lektion Wörter mit: *ö*, *ü*, *ß*, *z*.
Beispiel: *heißen* (Seite 9)

CD 1 17

## D3 Das Alphabet. Hören Sie das Lied und sprechen Sie mit.

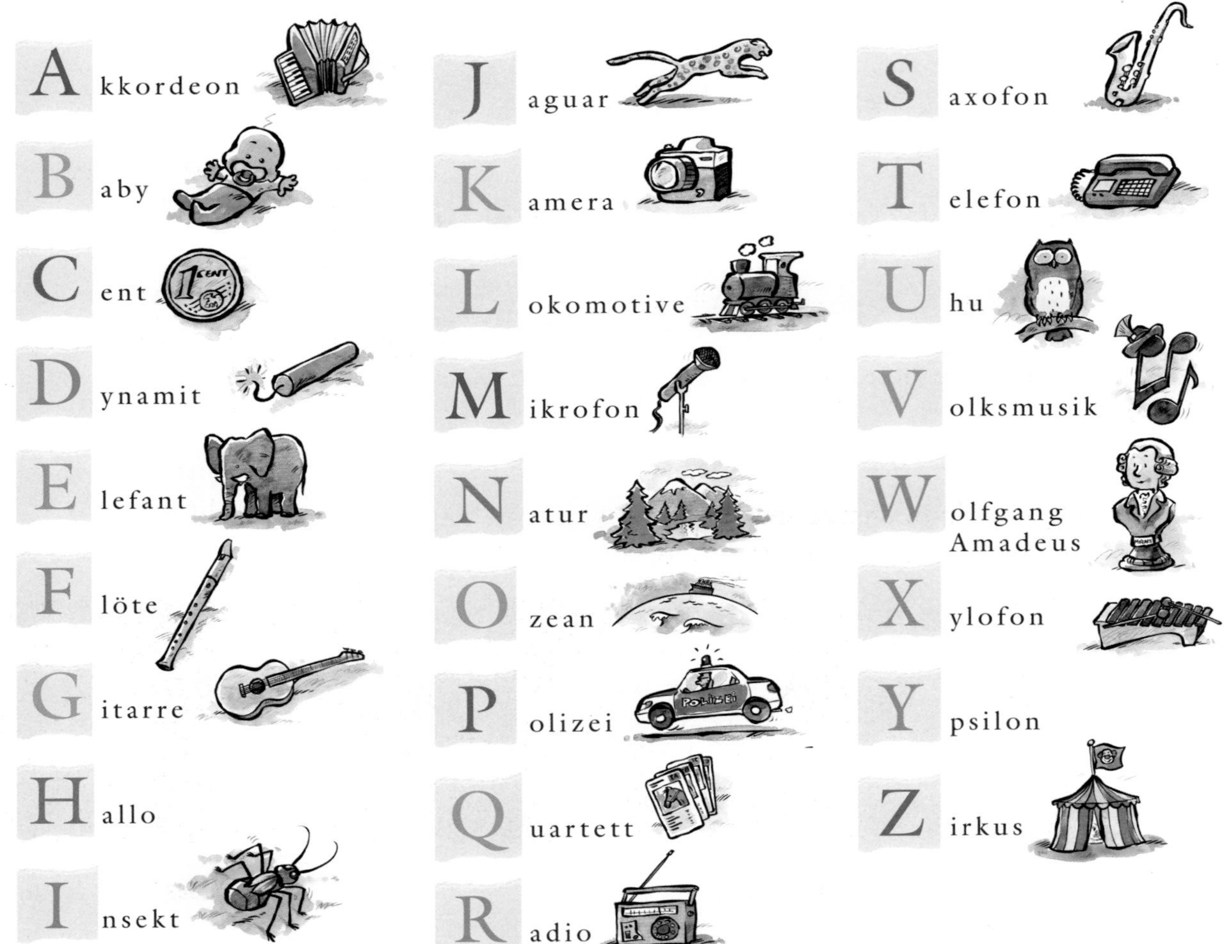

**D4** **Buchstabieren Sie Ihren Namen.**

Ich heiße Maria Bari. M-A-R-...

1 18 **D5** **Hören Sie das Telefongespräch und sprechen Sie dann mit Ihrem Namen.**

● Firma Teletec, Iris Pfeil, guten Tag.

◆ Guten Tag. Mein Name ist Khosa. Ist Frau Söll da, bitte?

● Guten Tag, Herr …

◆ Khosa.

● Entschuldigung, wie ist Ihr Name?

◆ Khosa. Ich buchstabiere: K–H–O–S–A.

● Ah ja, Herr Khosa. Einen Moment bitte. … Herr Khosa? Tut mir leid, Frau Söll ist nicht da.

◆ Ja, gut. Danke. Auf Wiederhören.

● Auf Wiederhören, Herr Khosa.

**D6** **Spiel: „Die Buchstabenmaus". Raten Sie Wörter aus der Lektion.**

e? Nein.

t? Ja.

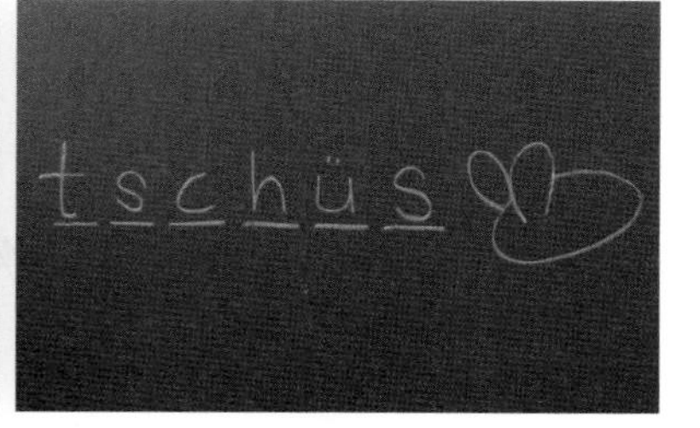


Tschüs? Ja!

## E1 Visitenkarten

**a** Lesen Sie und markieren Sie: Vorname, Familienname, Straße, Stadt, Land.

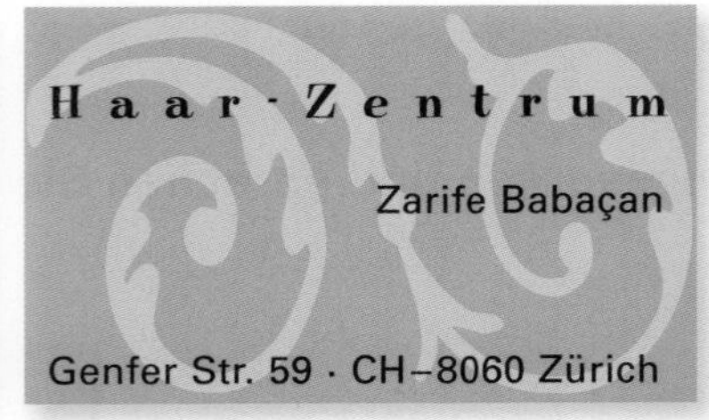


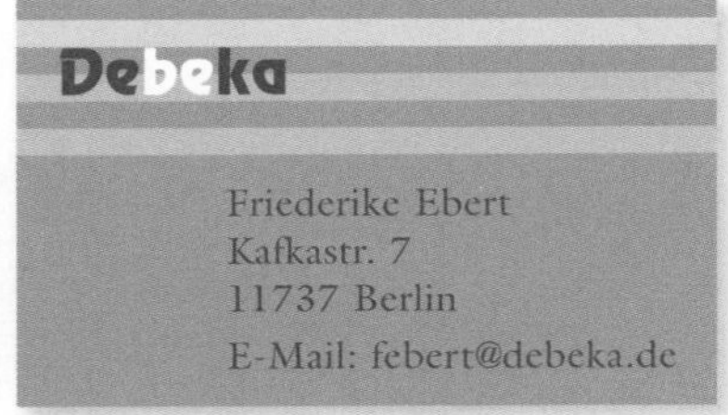

Verein für Kultur und Migration e.V.
Adil Amirseghi
Adam-Karrillon-Str. 25
D-55118 Köln
e-Mail: KultuDIA@t-online.de

**b** Wie heißt das Land?
Deutschland • Schweiz • Österreich

D = ..........................................

A = ..........................................

CH = ..........................................

## E2 Fragen Sie im Kurs. Schreiben Sie eine Kursliste.

Kurs: A1/1

| | Familienname | Vorname | Stadt | Straße |
|---|---|---|---|---|
| 1 | *Caso* | *Elena* | | |
| 2 | | | | |
| … | | | | |

*Wie heißen Sie?*
*Buchstabieren Sie bitte.*
*Und der Vorname, bitte?*
*Und wie heißt die Stadt, bitte?*
*Und die Straße?*

## E3 Ergänzen Sie das Formular.

**Kurs A1/1**
**Deutsch als Fremdsprache**

*A n m e l d u n g*

Familienname: .......................................... Straße, Hausnummer: ..........................................

Vorname: .......................................... Postleitzahl, Stadt: ..........................................

**Schon fertig?**
Schreiben Sie Ihre Visitenkarte.
Tauschen Sie die Karten.

## Grammatik

### 1 Aussage

| | Position 2 | |
|---|---|---|
| Mein Name | **ist** | Bruno Schneider. |
| Ich | **bin** | Sara. |
| Ich | **komme** | aus Deutschland. |

ÜG, 10.01

### 2 W-Frage

| | Position 2 | |
|---|---|---|
| **Wer** | **ist** | das? |
| **Wie** | **heißen** | Sie? |
| **Woher** | **kommen** | Sie? |
| **Was** | **sprechen** | Sie? |

ÜG, 10.03

### 3 Verb: Konjugation

| | kommen | heißen | sprechen | sein |
|---|---|---|---|---|
| ich | komm**e** | heiß**e** | sprech**e** | **bin** |
| du | komm**st** | heiß**t** | spr**i**ch**st** | **bist** |
| Sie | komm**en** | heiß**en** | sprech**en** | **sind** |

ÜG, 5.01

## Wichtige Wendungen

**Begrüßung: Hallo!**

Hallo!
Guten Morgen, Frau Schröder.
Firma Teletec, Iris Pfeil, guten Tag.
Guten Abend, Herr Schneider.

**Abschied: Auf Wiedersehen.**

Auf Wiedersehen, Frau Schröder.
Tschüs, Felix.
Gute Nacht. – Nacht, Mama.
Auf Wiederhören.

**Name: Wie heißen Sie?**

Wie heißen Sie? – Ich heiße/bin Bruno Schneider.
Wie heißt du? – Ich heiße/bin Sara.
Wer bist du? – Sara.
Wie ist Ihr Name? – Mein Name ist Andreas Zilinski.
Wer ist das? – Das ist Frau Kunz.

**Herkunft: Woher kommen Sie?**

Woher kommen Sie, Herr Miron? – Aus der Ukraine.
Woher kommst du, Nikolaj? – Aus der Ukraine.

**Bitten und danken**

Und wie heißt die Stadt, bitte?
Buchstabieren Sie bitte.
Ich buchstabiere: K–H–O–S–A. – Danke!

**Sprache: Was sprechen Sie?**

Was sprechen Sie? – Deutsch.
Was sprichst du? – Ich spreche gut Englisch und ein bisschen Deutsch.

**Entschuldigung**

Entschuldigung, ...
Tut mir leid.

**Strategien**

Ah, ja. • Ja, stimmt. •
..., bitte? • Ja, gut. •
Ich weiß es nicht.

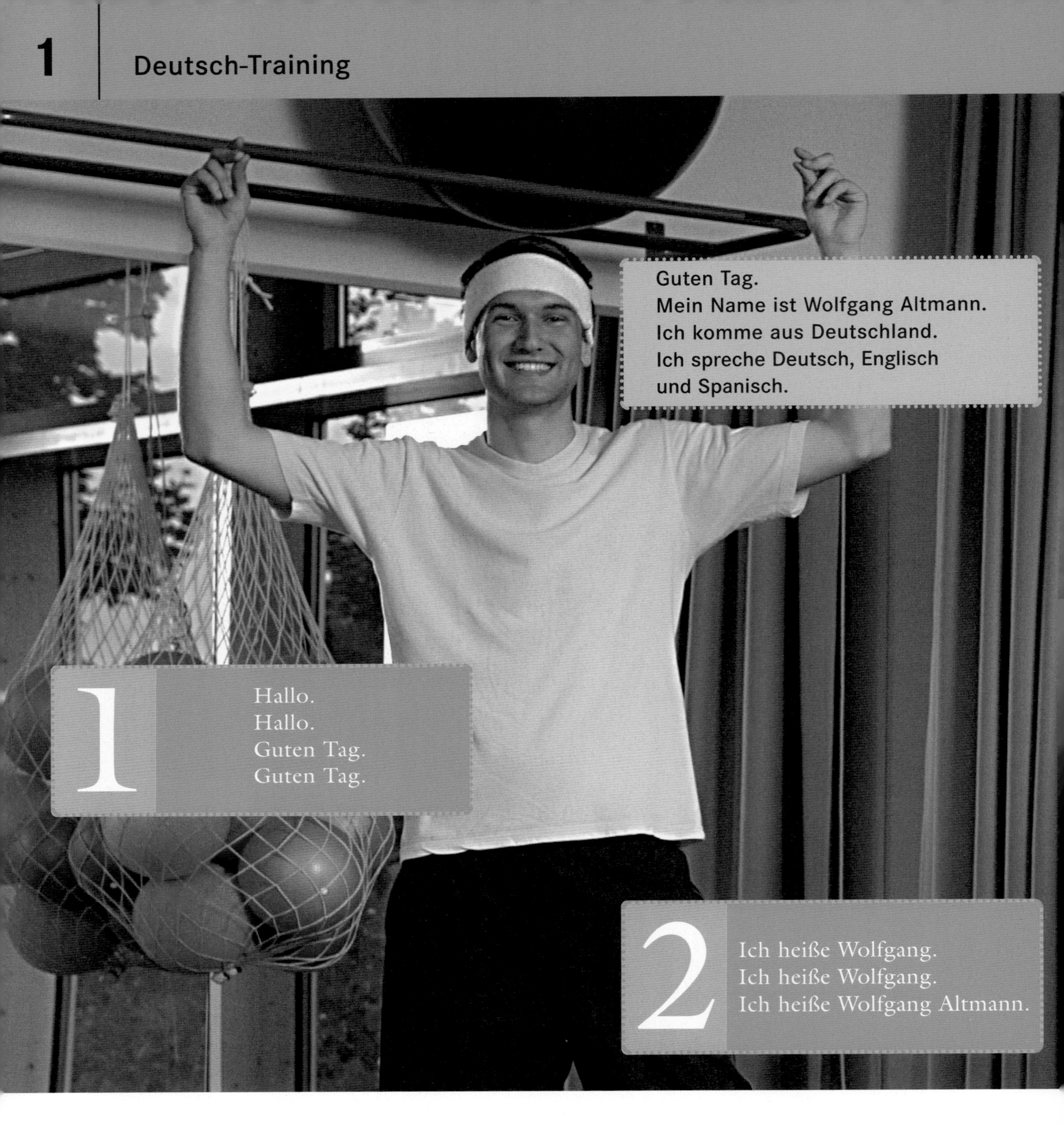


CD 1 19 **Hören Sie das Lied und singen Sie mit.**

Hallo.
Ich bin Jasmin Sailer.
Ich komme aus Österreich.
Ich spreche Deutsch und Englisch.

4

Tschüs.
Tschüs.
Auf Wiedersehen.
Auf Wiedersehen.

3

Ich komme aus Österreich.
Ich spreche Deutsch und Englisch.

# 2 Meine Familie

**FOLGE 2: *PIPSI UND SCHNOFFERL***

**1** **Wer ist Bruno? Wer ist Sara? Wer ist Nikolaj? Zeigen Sie.**

**2** **Was meinen Sie? Wer ist das?**

- ☑ Brunos Frau
- ☐ Nikolajs Frau

Das ist Brunos Frau.

Nein, das ist Nikolajs Frau.

Ja, genau.

CD 1 20-26 **3** **Sehen Sie die Fotos an und hören Sie.**

**4** **Was ist richtig? Kreuzen Sie an.**

☐ Nikolaj: Das ist Tina, meine Frau.

☒ Sara: Das ist Tina, meine Mutter.

☒ Bruno: Das ist Tina, meine Frau.

20-26

**5** **Hören Sie noch einmal.**
**Wer sagt das? Kreuzen Sie an.**

| | | Bruno | Nikolaj | Tina | Sara |
|---|---|---|---|---|---|
| **a** | Wo ist denn Sara? Und wo ist Bruno? | ☐ | ☒ | ☐ | ☐ |
| **b** | Wer sind Sie denn? | ☐ | ☐ | ☒ | ☐ |
| **c** | Na, wie geht's, Herr Miron? | ☒ | ☒ | ☐ | ☐ |
| **d** | Meine Mutter und mein Bruder leben in Kiew. | ☐ | ☒ | ☐ | ☐ |
| **e** | Sie heißen Schnuffi und Poppel, verstehst du? | ☐ | ☐ | ☐ | ☒ |

# Wie geht's? – Danke, sehr gut.

CD 1 27

## A1 Hören Sie und ordnen Sie zu.

▲ Wie geht's?

1. Super.
2. Danke, sehr gut.
3. Gut, danke.
4. Na ja, es geht.
5. Ach, nicht so gut.

CD 1 28

## A2 Hören Sie und sprechen Sie dann mit Ihrem Namen.

■ Guten Tag, Herr Kraus.
● Guten Tag, Herr Müller.
Wie geht es Ihnen?
■ Sehr gut, danke.
Und Ihnen?
● Es geht.

*Varianten:*
super – sehr gut
gut – nicht so gut

▲ Hallo, Andreas.
◆ Hallo, Peter.
Wie geht es dir?
▲ Gut, und dir?
◆ Auch gut.

*Varianten:*
nicht so gut
sehr gut

| Wie geht's?<br>Wie geht es Ihnen?<br>Wie geht es dir? | Gut, danke. |
|---|---|

## A3 Sehen Sie die Zeichnungen an: *du* oder *Sie*? Schreiben und spielen Sie Gespräche.

A ● *Hallo, Andreas.*
▲ *Hallo, Michael.*
*Wie geht es dir?*
● …

## B1 Hören Sie und ergänzen Sie.

Mutter • Tochter • Eltern • ~~Frau~~ • Bruder • Vater

Das ist Tina,
meine *Frau* .
Und das da ist meine
............ Sara.

Das sind meine ............ .
Mein ............ heißt
Bruno, meine ............
heißt Tina.

Das hier ist mein
............ .

## B2 Meine Familie: Wer ist wer? Hören Sie und ergänzen Sie.

Sohn • Opa • Tochter • Großeltern • Oma • Kinder • ~~Mann~~ • Bruder • Schwester • Geschwister

Oma = Großmutter
Opa = Großvater

B

mein Sohn
mein Kind
meine Tochter
meine Kinder

Das ist …
1 *mein Mann*
2 *mein* ............
3 *meine* ............

Das sind …
2 und 3 *meine* ............

Das ist …
4 *mein* ............
5 *meine* ............
6 *mein* ............
7 *meine* ............

Das sind …
4 und 5 *meine* ............
6 und 7 *meine* ............

## B3 Rätsel: Wer bin ich? Sprechen Sie mit Ihrer Partnerin / Ihrem Partner.

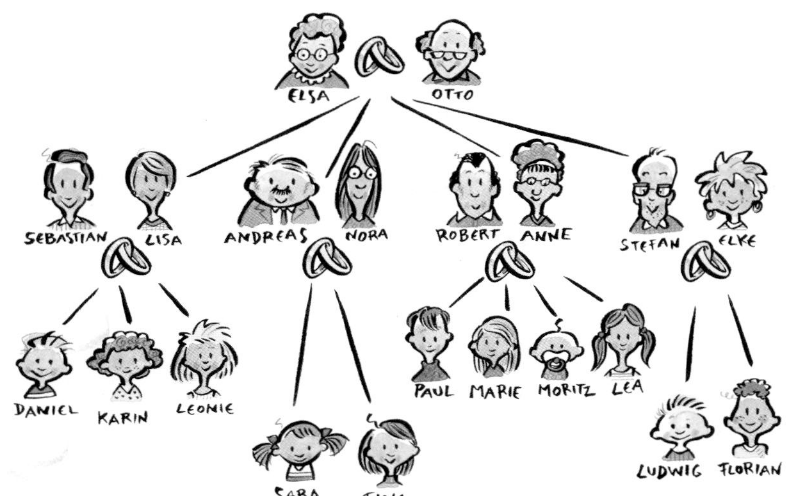


- Otto ist mein Großvater. Wer bin ich?
- Du bist Paul.
- Nein. Elke ist meine Mutter.
- Ach, du bist Florian.
- Nein. Florian ist mein Bruder.
- Du bist Ludwig!
- Ja, genau.

**Schon fertig?**
Planen Sie ein Familienfest.
Wer kommt? Machen Sie eine Liste.
Beispiel: *Meine Tochter, …*

# Er wohnt in der Rosenheimer Straße.

CD 1 31

## C1 Hören Sie und ergänzen Sie.

heißen • kommt • kommt • ist

Niko ........................ aus der Ukraine. Er wohnt in München, in der Rosenheimer Straße. Seine Mutter und sein Bruder leben in Kiew.

Das ........................ Sara: Sie hat zwei Hasen, sie ........................ Schnuffi und Poppel.

Bruno lebt in München. Seine Mutter ........................ aus Italien. Seine Eltern wohnen nicht in München, sie leben in Nürnberg.

## C2 Schreiben Sie.

**a** Thi Giang
Vietnam
Deutschland
Dresden
Müllerstraße

*Das ist Thi Giang.*
*Sie kommt aus Vietnam.*
*Sie lebt in ...*
*Sie wohnt in ...*
*Sie wohnt in der ...*

Niko → er
Sara → sie
Eltern → sie

**b** Afo
Togo
Österreich
Wien
Burgstraße

*Das ...*
*Er kommt ...*
*... lebt ...*
*... wohnt ...*
*... wohnt in ...*

| | | | |
|---|---|---|---|
| er/sie | wohnt | lebt | ist |
| wir | wohnen | leben | sind |
| ihr | wohnt | lebt | seid |
| sie/Sie | wohnen | leben | sind |

**c** Metin und Elif
Türkei
Deutschland
Köln
Schillerstraße

*Das sind ...*
*... kommen ...*
*... leben ...*
*...*

CD 1 32

## C3 Hören Sie und variieren Sie.

● Anna, das sind meine Freunde Sera und Mori.
■ Ah, hallo. Woher kommt ihr denn?
▲ Aus Uganda, aber wir sind schon lange in Deutschland. Wir wohnen hier in Berlin.

*Varianten:*
Lin und Bang – China – Österreich – Wien •
Hamed und Mariam – Afghanistan – Deutschland – Erfurt

## C4 Eine Party: Schreiben Sie Kärtchen und sprechen Sie.

Hans und Anna Bauer
Schweiz
Dresden

Jutta und Franz Berger
Deutschland
Tunis

Lina und Markus Ebner
Österreich
Kiel

Wie heißt ihr?
Woher kommt ihr?
Wo ...?

Wir sind Lina und Markus Ebner.
Wir kommen aus Österreich.
Wir wohnen in Kiel.

33 **D1** **Hören Sie und sprechen Sie nach.**

| 0 | 1 | 2 | 3 | 4 | 5 | 6 | 7 | 8 | 9 | 10 | 11 |
|---|---|---|---|---|---|---|---|---|---|---|---|
| null | eins | zwei | drei | vier | fünf | sechs | sieben | acht | neun | zehn | elf |

| 12 | 13 | 14 | 15 | 16 | 17 | 18 | 19 | 20 |
|---|---|---|---|---|---|---|---|---|
| zwölf | dreizehn | vierzehn | fünfzehn | sechzehn | siebzehn | achtzehn | neunzehn | zwanzig |

34 **D2** **Welche Telefonnummern hören Sie? Kreuzen Sie an.**

a ☐ 11 12 20 ☐ 13 16 20 ☐ 12 15 20
b ☐ 18 18 10 ☐ 19 18 10 ☐ 19 16 10
c ☐ 19 15 12 ☐ 18 15 12 ☐ 16 17 12

35 **D3** **Hören Sie und lesen Sie das Gespräch. Füllen Sie das Formular aus.**

▲ Wie heißen Sie?
● Manuela Silva Cabral.
▲ Woher kommen Sie?
● Aus Portugal.
▲ Wo sind Sie geboren?
● In Porto.
▲ Wie ist Ihre Adresse?
● Marktstraße 1, 20249 Hamburg.
▲ Wie ist Ihre Telefonnummer?
● 7 8 8 6 3 9.
▲ Sind Sie verheiratet?
● Nein, ich bin geschieden.
▲ Haben Sie Kinder?
● Ja, zwei.
▲ Wie alt sind sie?
● Meine Tochter ist acht und mein Sohn ist fünf.

| | |
|---|---|
| Familienname: | *Silva Cabral* |
| Vorname: | |
| Heimatland: | *Portugal* |
| Geburtsort: | |
| Straße: | |
| Wohnort: | *20249 Hamburg* |
| Telefonnummer: | |

Familienstand: ☐ ledig ☐ verwitwet ☐ verheiratet ☐ geschieden

Kinder: ☐ Kind *2* Kinder ☐ keine Kinder

Alter: *5/8*

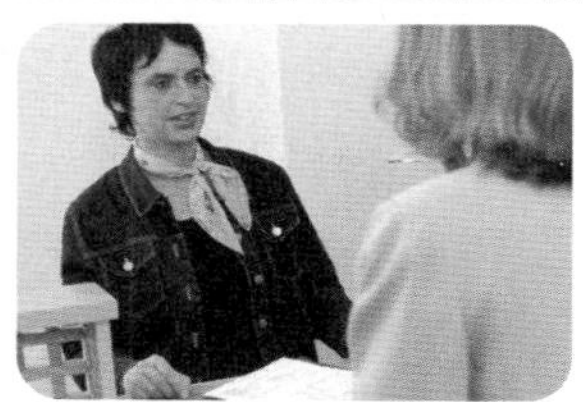

**D4** **Partnerinterview**

a Markieren Sie die Fragen in D3 und fragen Sie Ihre Partnerin / Ihren Partner.

*Wie heißen Sie?*
*Woher kommen ...?*
*Wo sind ...?*
*Wo wohnen ...?*
*Wie ist Ihre ...?*
*Sind Sie ...?*

*Haben Sie Kinder?*
*Ja, eins/zwei/ ...*
*Nein, ich habe keine Kinder.*
*Wie alt ist Ihr Kind / sind Ihre Kinder?*

| | | |
|---|---|---|
| ich | habe | |
| du | hast | |
| er/sie | hat | ein Kind |
| wir | haben | |
| ihr | habt | |
| sie/Sie | haben | |

b Schreiben Sie über Ihre Partnerin / Ihren Partner.

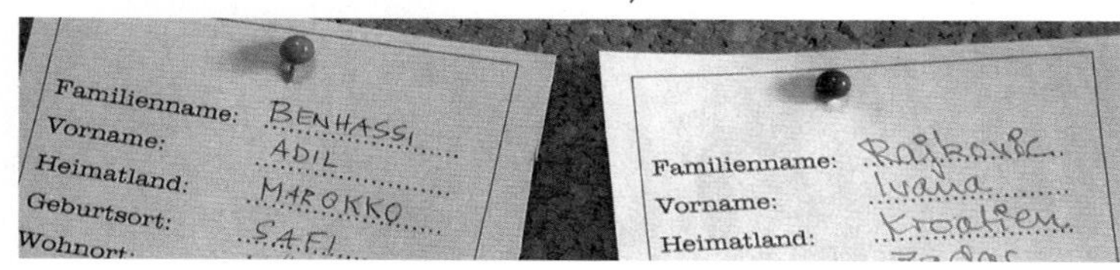
Familienname: BENHASSI
Vorname: ADIL
Heimatland: MAROKKO
Geburtsort: SAFI
Wohnort:

Familienname: Rajkovic
Vorname: Ivana
Heimatland: Kroatien

**Schon fertig?**
Schreiben Sie einen Text wie in C2.

**E1** **Suchen Sie die Städte auf der Landkarte. Markieren Sie.**

## D–A–CH–Quiz

Deutschland • Österreich • Schweiz

Hamburg

Berlin

Zürich

Wien

- **a** Hamburg ist in ______ . [example: German flag circled]
- **b** Zürich ist in der ______ .
- **c** Linz ist in ______ .
- **d** Berlin ist die Hauptstadt von ______ .
- **e** Die Hauptstadt von ______ heißt Wien.
- **f** Bern ist die Hauptstadt der ______ .
- **g** München liegt in Süd ______ .
- **h** Kiel liegt in Nord ______ .

CD 1 36

**E2** **Hören Sie. Wo wohnen die Leute?**

| Hanne Winkler: | Ashraf Shabaro: | Thomas Gierl: | Margrit Ehrler: |
|---|---|---|---|
| *in Hamburg* | ............ | ............ | ............ |

CD 1 36

**E3** **Hören Sie noch einmal. Richtig oder falsch? Kreuzen Sie an.**

**a**

| Hanne Winkler | richtig | falsch |
|---|---|---|
| Sie ist zwanzig Jahre alt. | ☒ | ☐ |
| Sie ist verheiratet. | ☐ | ☐ |
| Sie hat zwei Kinder. | ☐ | ☐ |

**b**

| Ashraf Shabaro | richtig | falsch |
|---|---|---|
| Er lebt in Syrien. | ☐ | ☐ |
| Er ist ledig. | ☐ | ☐ |
| Er hat drei Kinder. | ☐ | ☐ |

**c**

| Thomas Gierl | richtig | falsch |
|---|---|---|
| Er lebt in Österreich. | ☐ | ☐ |
| Er kommt aus Wien. | ☐ | ☐ |
| Er ist verheiratet. | ☐ | ☐ |

**d**

| Margrit Ehrler | richtig | falsch |
|---|---|---|
| Sie lebt in der Schweiz. | ☐ | ☐ |
| Sie hat ein Baby. | ☐ | ☐ |
| Das Baby heißt Jakob. | ☐ | ☐ |

## Grammatik

**1 Possessivartikel:** ***mein/e***

| maskulin | neutral | feminin | Plural |
|---|---|---|---|
| mein Vater | mein Kind | meine Mutter | meine Eltern |

ÜG, 2.04

**2 Verb: Konjugation**

| | leben | heißen | sprechen | sein | haben |
|---|---|---|---|---|---|
| ich | lebe | heiße | spreche | bin | habe |
| du | lebst | heißt | sprichst | bist | hast |
| er/sie | lebt | heißt | spricht | ist | hat |
| wir | leben | heißen | sprechen | sind | haben |
| ihr | lebt | heißt | sprecht | seid | habt |
| sie/Sie | leben | heißen | sprechen | sind | haben |

ÜG, 5.01

## Wichtige Wendungen

**Befinden: Wie geht's?**

| | |
|---|---|
| Wie geht's? | Danke, super/sehr gut/gut. |
| | Sehr gut, danke. |
| Wie geht es Ihnen? | Na ja, es geht. |
| Wie geht es dir? | Ach, nicht so gut. |
| Und Ihnen/dir? | Auch gut, danke. |

**Ort: Hamburg ist in Deutschland**

Hamburg ist/liegt in Deutschland.
Wien ist die Hauptstadt von Österreich.

Norddeutschland • Ostdeutschland •
Süddeutschland • Westdeutschland

**Andere vorstellen: Das ist/sind …**

| | |
|---|---|
| Das ist | meine Tochter / Brunos Frau. |
| Das sind | meine Eltern / meine Kinder. |

**Strategien**

Verstehen Sie? / Verstehst du? •
Na ja, … • Ach, … • Ja, genau.

**Angaben zur Person: Wer sind Sie?**

| | |
|---|---|
| Wo sind Sie geboren? | Ich bin in Porto geboren. |
| Wo wohnen Sie? | Ich lebe/wohne in München. Ich wohne in der Rosenheimer Straße. |
| Wie ist Ihre Adresse? | 20249 Hamburg, Marktstraße 1 |
| Wie ist Ihre Telefonnummer? | 788639 |
| Sind Sie verheiratet? | Ja, ich bin verheiratet. |
| | Nein, ich bin ledig/verwitwet/geschieden. |
| Haben Sie Kinder? | Ja, eins/zwei/… |
| | Nein, ich habe keine Kinder. |
| Wie alt ist Ihr Kind? | Acht. |
| Wie alt sind Ihre Kinder? | Acht und fünf. |

**1** **Lesen Sie alle Informationen. Zeigen Sie.**

▪ Hannes Albrecht ▪ Michael und Birgül ▪ Andrea ▪ Lotte Albrecht ▪ Püppi

CD 1 37

**2** **Was sagen Birgül, Markus und Andrea? Hören Sie und füllen Sie die Zettel aus.**

1 Familienname: ............ Alter Jasmin: ............
Vorname: *Birgül* ............ Alter Stefan: ............
Wohnort: ............

**2**

| | |
|---|---|
| Familienname: | *Dengelbauer* |
| Vorname: | *Markus* |
| Kinder: | |
| Familienstand: | |

**3**

| | |
|---|---|
| Familienname: | *Albrecht* |
| Vorname: | *Andrea* |
| Geburtsort: | |
| Wohnort: | |

**3** **Und Ihre Familie? Erzählen Sie.**

**1** **Sehen Sie die Fotos an. Wo ist Niko?**

☐ In Brunos Obst- und Gemüseladen. ☐ Im Supermarkt.

**2** **Zeigen Sie. Wo ist ...?**

Joghurt • ein Apfel • Salz • eine Banane

CD 1 38-45 **3** **Sehen Sie die Fotos an und hören Sie.**

**4** **Was kauft Niko? Kreuzen Sie an.**

☒

| | |
|---|---|
| Sahne | 0,59 |
| Rindfleisch | 4,98 |
| Landbrot | 1,52 |
| Mineralwasser | 0,98 |
| Salz | 0,55 |
| | **8,62** |

☐

| | |
|---|---|
| Joghurt | 0,39 |
| fan-fit | 2,00 |
| Äpfel | 1,98 |
| Bananen | 1,29 |
| | **5,66** |

38-45

## 5 Was hören Sie? Kreuzen Sie an.

a Kennen Sie schon *fan-fit*? ☒
b *fan-fit* ist ein neues Getränk für Sportler. ☒
c Das ist ein Apfel. ☐
d Ich brauche Salz. ☒
e Ich möchte eine Flasche *fan-fit*. ☐

## 6 Richtig oder falsch? Kreuzen Sie an.

| | richtig | falsch |
|---|---|---|
| a Niko braucht Joghurt. | ☐ | ☒ |
| b Niko braucht Salz. | ☒ | ☐ |
| c Niko kennt *fan-fit*. | ☐ | ☒ |
| d Niko kauft *fan-fit*. | ☐ | ☒ |

# Haben Sie auch Salz?

## A1 Ordnen Sie zu.

1

2

3

**A**
*Joghurt*
*Tee*
*Reis*
*Gemüse*
*Bier*

**B**
*Sahne*
*Fleisch*
*Brot*
*Mineralwasser*
*Salz*

**C**
*Milch*
*Käse*
*Wein*
*Fisch*
*Obst*

| Bild | 1 | 2 | 3 |
|---|---|---|---|
| Text | B | C | A |

CD 1 46

## A2 Hören Sie und variieren Sie.

▲ Haben Sie auch Salz?

● Nein, tut mir leid. ● Ja, hier bitte.

*Varianten:*

Haben Sie Salz? | Ja. / Nein.

## A3 Sehen Sie das Bild an. Fragen Sie und antworten Sie.

■ Haben wir noch / Brauchen wir | Milch? / Reis? ◆ | Ja. / Nein.

Obst ● Gemüse ● Brot ● Reis
Käse ● Milch ● Sahne ● Fleisch
Tee ● Wasser ● Wein ● Salz ● Bier

## A4 Spiel: Ihr Einkauf

Iwan braucht Reis, Salz und … Er hat Obst, …
Sandra braucht Fleisch, Fisch, … Sie hat Bier, Käse, Wein, …
Hassan braucht … Er hat …

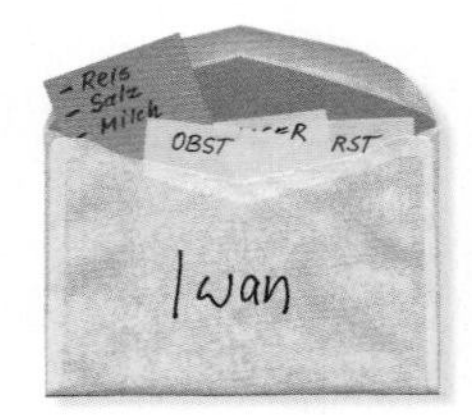


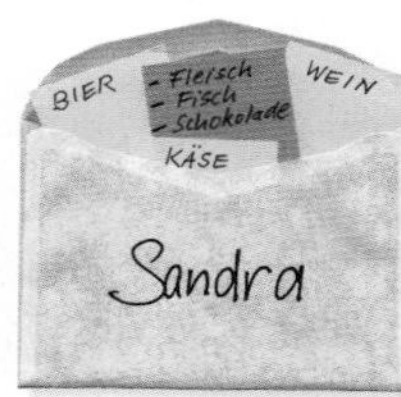

Sandra, ich brauche Reis. Hast du Reis?

Nein, tut mir leid.

Hassan, hast du Reis?

Ja, hier bitte.

47

## B1 Hören Sie und ergänzen Sie.

ein • eine • ~~keine~~ • ein • keine

▲ Das ist doch ..*keine*...... Sahne, oder?
Nein, das ist .................. Joghurt.

▲ Ist das ..................... Tomate?
◆ Nein, das ist ..................... Tomate.
Das ist ..................... Apfel.

ein Apfel → kein Apfel
ein Ei → kein Ei
eine Tomate → keine Tomate

48

## B2 Hören Sie und variieren Sie.

■ Wie heißt das auf Deutsch?
◆ Apfel.
■ Wie bitte?
◆ Apfel. Das ist ein Apfel.

■ Und das? Was ist das?
◆ Das ist eine Tomate.

Was ist das? – Das ist …

*Varianten:*

ein Ei

eine Kartoffel

eine Banane

eine Orange

ein Kuchen

ein Brötchen

eine Birne

## B3 Ergänzen Sie.

**a**

Das ist kein Apfel.
Das ist ..*eine Tomate*.................

**c**

Das ist keine Tomate.
Das ist ..............................................

**e**

Das ist keine Kartoffel.
Das ist ..............................................

**b**

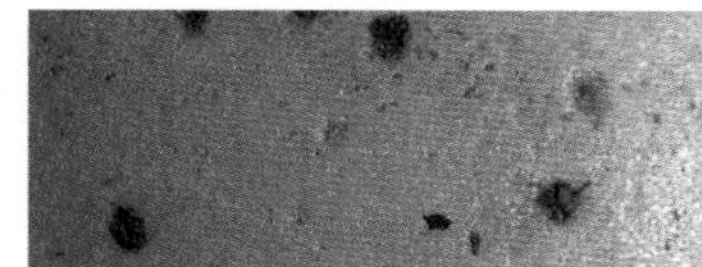

Das ist kein Ei.
Das ist ..............................................

**d**

Das ist kein Brötchen.
Das ist ..............................................

**f**

Das ist keine Kartoffel.
Das ist ..............................................

## B4 Rätsel: Was ist das?

Ist das eine Tomate?

Ja, vielleicht.

Nein, das ist keine Tomate. Das ist ein Apfel.

**a**

**b**

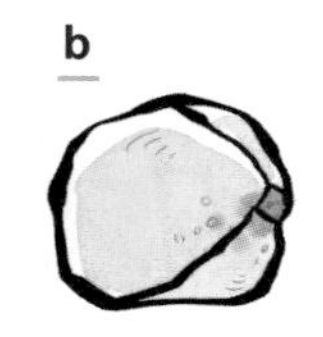

**c**

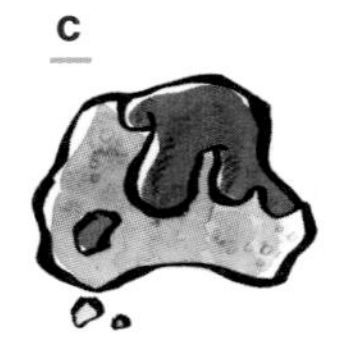

**d**

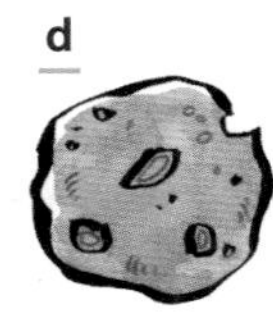

**e**

# Vier **Flaschen** kosten 7,10 Euro.

CD 1 49

## C1 Hören Sie und ergänzen Sie.

Apfel • Brötchen • Äpfel • ~~Flaschen~~ • Brot

1 € = ein Euro
0,10 € = zehn Cent
1,10 € = ein Euro zehn

Eine Flasche *fan-fit* kostet 2 €.
Vier *Flaschen* ........ kosten nur 7,10 €.

Ein ........ kostet heute 0,10 €.
Zwölf ........ kosten nur 1 €.

Sechs ........ kosten nur 1,10 €.
Ein ........ kostet nur 2,20 €.

## C2 Ordnen Sie zu.

ein Apfel → Äpfel
ein Ei → Eier
ein Brötchen → Brötchen
eine Tomate → Tomaten

kein Apfel → keine Äpfel
kein Ei → keine Eier
keine Tomate → keine Tomaten

~~Äpfel~~ • Orangen • ~~Brötchen~~ • Eier • Bananen • Tomaten

| Im Korb sind | Im Korb sind **keine** |
|---|---|
| *Äpfel* | *Brötchen* |
| ... | ... |

## C3 Suchen Sie im Wörterbuch und ergänzen Sie.

a ein Fisch viele *Fische*........
b ein Joghurt viele ........
c ein Brot viele ........
d ein Kuchen viele ........
e ein Saft viele ........

der Fisch [fiʃ]; -[e]s, -e: 1. (Zoo) ein Tier mit Flossen, Kiemen und Schuppen, das im Wasser lebt

**Schon fertig?**
Suchen Sie noch mehr Wörter.

## C4 Suchbild: Sprechen Sie.

A

B

Auf Bild A sind drei Flaschen *fan-fit*, auf Bild B sind zwei Flaschen *fan-fit*.

50 **D1** **Zahlen: Hören Sie und ordnen Sie zu.**

| | | | | | |
|---|---|---|---|---|---|
| a | 0,20 € | dreißig Cent | f | 0,70 € | siebzig Cent |
| b | 0,30 € | sechzig Cent | g | 0,80 € | hundert Cent / ein Euro |
| c | 0,40 € | zwanzig Cent | h | 0,90 € | achtzig Cent |
| d | 0,50 € | fünfzig Cent | i | 1,00 € | neunzig Cent |
| e | 0,60 € | vierzig Cent | | | |

80
achtzig
85
fünfundachtzig
21
einsundzwanzig

51 **D2** **Preise. Hören Sie und kreuzen Sie an.**

| | | | |
|---|---|---|---|
| a | ☒ Brötchen: 0,35 € | ☐ Brötchen: 0,30 € | ☐ Brötchen: 0,10 € |
| b | ☐ Eier: 0,67 € | ☐ Eier: 1,67 € | ☐ Eier: 1,76 € |
| c | ☐ Fisch: 0,15 € | ☐ Fisch: 1,50 € | ☐ Fisch: 1,00 € |

**D3** **Sehen Sie den Prospekt an. Fragen Sie und antworten Sie.**

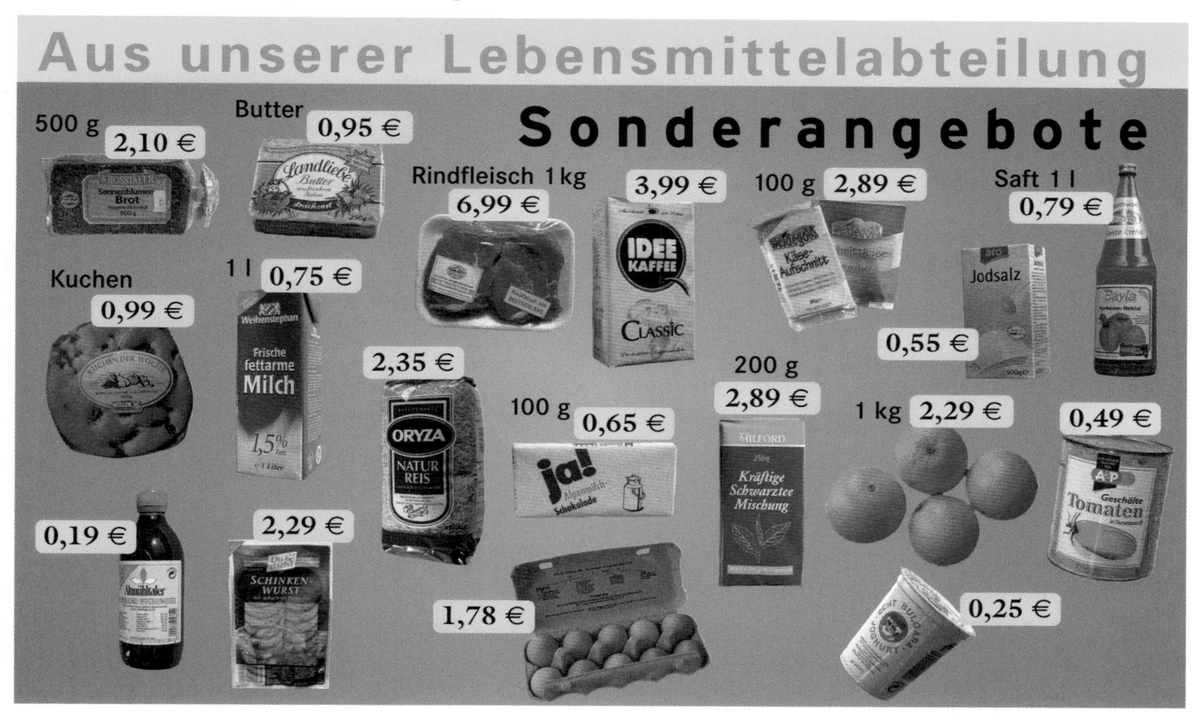


▲ Was kosten 100 Gramm Käse?
● 100 Gramm Käse kosten …

▲ Wie viel kostet ein Kilo Rindfleisch?
● …

| | | |
|---|---|---|
| 1 kg = ein Kilo | eine Flasche Saft | Was kostet / Wie viel kostet — 1 Kilo? |
| 100 g = 100 Gramm | eine Packung Tee | |
| 500 g = ein Pfund | eine Dose Tomaten | Was kosten / Wie viel kosten — 100 Gramm / 10 Eier? |
| 1 l = ein Liter | ein Becher Joghurt | |

**Schon fertig?**
Schreiben Sie Ihren Einkaufszettel für heute auf Deutsch.

CD 1 52

## E1 Wer sagt das? Hören Sie und kreuzen Sie an.

| | | Verkäuferin | Kundin |
|---|---|---|---|
| a | Bitte schön? | ☐ | ☐ |
| b | Ein Kilo Kartoffeln, bitte. | ☐ | ☐ |
| c | Sonst noch etwas? | ☐ | ☐ |
| d | Ich brauche ein Pfund Äpfel. | ☐ | ☐ |
| e | Haben Sie Bananen? | ☐ | ☐ |
| f | Ja. Möchten Sie Bananen? | ☐ | ☐ |
| g | Was kostet ein Kilo? | ☐ | ☐ |
| h | 1 Euro 69. | ☐ | ☐ |
| i | Nein, danke. Das ist alles. | ☐ | ☐ |
| j | Das macht dann 2 Euro 38. | ☐ | ☐ |

## E2 Sie möchten heute einen Apfelkuchen backen. Spielen Sie ein Gespräch.

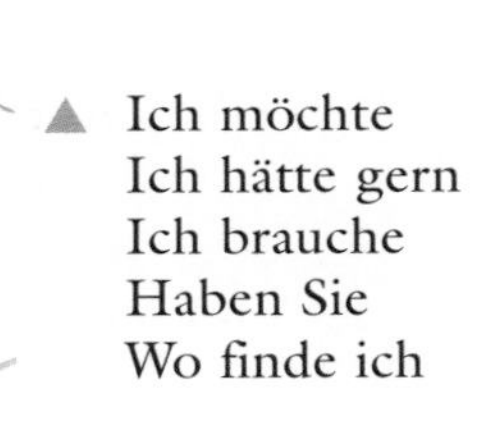

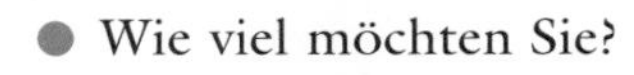

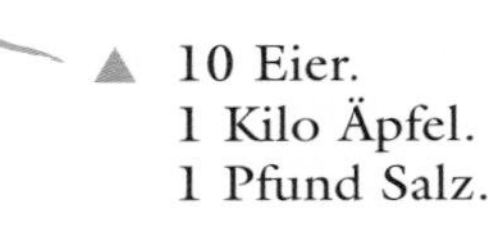

**Verkäuferin**

- ● Bitte schön? Kann ich Ihnen helfen?

**Kundin/Kunde**

- ▲ Ich möchte / Ich hätte gern / Ich brauche | Äpfel. / Salz. / …
- Haben Sie / Wo finde ich | Eier? / …?

- ● Wie viel möchten Sie?
- ▲ 10 Eier. / 1 Kilo Äpfel. / 1 Pfund Salz. / …
- ● (Möchten Sie) sonst noch etwas?
- ▲ Nein, danke. Das ist alles.
- ● (Das macht dann) … Euro bitte.

| | |
|---|---|
| ich | möchte |
| du | möchtest |
| er/sie | möchte |
| wir | möchten |
| ihr | möchtet |
| sie/Sie | möchten |

## E3 Rollenspiel: Spielen Sie Gespräche.

In der Bäckerei

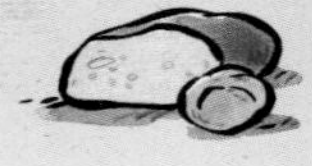

Verkäufer/Verkäuferin
Ein Brötchen kostet 18 Cent.

In der Bäckerei

Kunde/Kundin
Sie möchten 10 Brötchen kaufen.

Im Obstladen

Verkäufer/Verkäuferin
1 Kilo Tomaten kostet 2,29 €.
Sie haben keine Orangen mehr.

Im Obstladen

Kunde/Kundin
Sie möchten 1 Kilo Tomaten und 6 Orangen kaufen.

In der Metzgerei

Verkäufer/Verkäuferin
1 Kilo Fleisch kostet 4,69 €,
1 Kilo Fisch kostet 5,19 €.

In der Metzgerei

Kunde/Kundin
Sie möchten 1 Kilo Fleisch und 1 Kilo Fisch kaufen.

## Grammatik

**1 Ja-/Nein-Frage**

| Frage Position 1 | | | Antwort |
|---|---|---|---|
| Haben | Sie | Salz? | Ja. |
| Brauchen | wir | Milch? | Nein. |

ÜG, 10.03

**2 Fragen: Ja-/Nein-Frage und W-Frage**

| Frage | Position 2 | | Antwort |
|---|---|---|---|
| Was | brauchen | Sie? | Salz. |
| Brauchen | Sie | Salz? | Ja./Nein. |

ÜG, 10.03

**3 Artikel: unbestimmter Artikel und Negativartikel**

| | | | unbestimmter Artikel | | Negativartikel | |
|---|---|---|---|---|---|---|
| Singular | maskulin | Das ist | ein | Apfel. | kein | Apfel. |
| | neutral | Das ist | ein | Ei. | kein | Ei. |
| | feminin | Das ist | eine | Tomate. | keine | Tomate. |
| Plural | | Das sind | – | Tomaten. | keine | Tomaten. |

ÜG, 2.01–2.03

**4 Nomen: Singular und Plural**

| Singular | | Plural | | Singular | | Plural | |
|---|---|---|---|---|---|---|---|
| ein | Apfel | – | Äpfel | kein | Apfel | keine | Äpfel |
| ein | Ei | – | Eier | kein | Ei | keine | Eier |
| ein | Brötchen | – | Brötchen | keine | Tomate | keine | Tomaten |
| eine | Tomate | – | Tomaten | | | | |
| ein | Joghurt | – | Joghurts | | | | |

ÜG, 1.02

**5 Verb: Konjugation**

| | „möchten“ |
|---|---|
| ich | möchte |
| du | möchtest |
| er/sie | möchte |
| wir | möchten |
| ihr | möchtet |
| sie/Sie | möchten |

ÜG, 5.10

## Wichtige Wendungen

**Nachfragen: Auf Deutsch?**

Was ist das? – Das ist ein Apfel.
Das ist doch kein Apfel.
Ist das ein Apfel? – Ja./Nein.
Wie heißt das auf Deutsch? – Apfel.

**Preise: Was kostet das?**

Wie viel kostet / Was kostet ein Pfund Rindfleisch?
Das macht / Das kostet 2 Euro 60.
100 Gramm Käse kosten 1 Euro 10.

0,10 € = zehn Cent
1,00 € = ein Euro
1,10 € = ein Euro zehn

**Mengenangaben: Wie viel möchten Sie?**

Wie viel möchten Sie? – Ein Kilo.

ein Becher Joghurt
eine Dose Tomaten
ein Kilo Tomaten
ein Pfund Salz
eine Flasche Wein
100 Gramm Käse
ein Liter Milch
eine Packung Tee

**Strategien**

Wie bitte? • Ja, vielleicht. •
Ja, bitte. • Nein, danke.

**Beim Einkaufen: Fragen und Antworten**

| | | |
|---|---|---|
| Bitte schön? | Ich möchte | ein Pfund Salz. |
| Kann ich Ihnen helfen? | Ich hätte gern | |
| Wie viel möchten Sie? | Ich brauche | |
| (Möchten Sie) sonst noch etwas? | Ja, bitte. / Nein, danke. Das ist alles. | |
| | Wo finde ich Salz? / Haben Sie Salz? | |

# 3 Verstehst du jetzt? – Ja.

- ● Du, Mama? Was ist denn das da?
- ▲ Das ist Hefe.
- ● Aha. Brauchen wir Hefe?
- ▲ Ja. Wir brauchen Hefe. Wir machen heute Hefeteig.
- ● Hefeteig? Was ist Hefeteig?
- ▲ Hefeteig? Du kennst doch zum Beispiel Brötchen, oder?
- ● Ja natürlich. Brötchen kenne ich. Aber das hier ist doch kein Brötchen.
- ▲ Noch nicht. So, Hefe haben wir. Was brauchen wir noch?
  Wasser und Mehl. Und ein bisschen Salz, verstehst du?
- ● Nein, Mama. Das verstehe ich nicht.

**1 Sie machen Hefeteig. Was brauchen Sie? Lesen Sie den Text und ergänzen Sie.**

## Rezept für Hefeteig

MEHL 1000 g *Mehl*..................

HEFE 1 Würfel ..................

1 Glas ..................

SALZ ein bisschen ..................

**2** **Was ist noch aus Hefeteig? Sammeln Sie.**

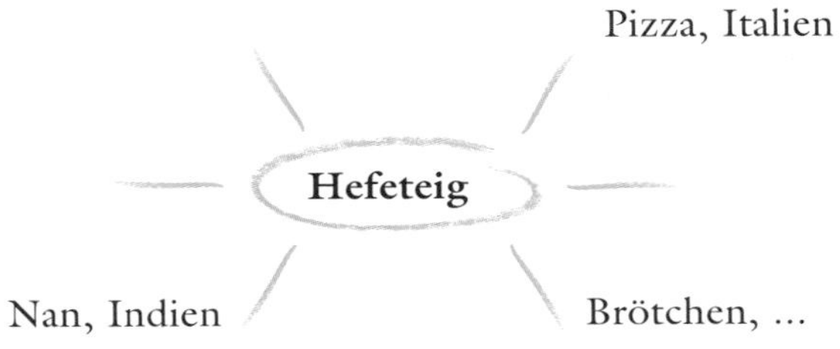

# 4 Meine Wohnung

FOLGE 4: *SARA HAT HUNGER*

**1** **Zeigen Sie.**
ein Haus • ein Bad • ein Zimmer • eine Wohnung

**2** **Groß oder klein? Zeigen Sie.**

CD 1 53-60 **3** **Sehen Sie die Fotos an und hören Sie.**

**4** **Was passt? Kreuzen Sie an.**

a Ist es nicht besser, wir sagen „Du“?
b Papa, ich habe Hunger. Und ich habe Durst.
c Wie gefällt Ihnen die Wohnung?
d Das Bad ist dort. Aber Vorsicht! Es ist auch sehr klein.
e Borschtsch schmeckt total gut!

| | Foto | | | | | | | |
|---|---|---|---|---|---|---|---|---|
| | 1 | 2 | 3 | 4 | 5 | 6 | 7 | 8 |
| a | | | | | | | | |
| b | | | x | | | | | |
| c | | | | | | | | |
| d | | | | | | | | |
| e | | | | | | | | |

53-60 **5** **Hören Sie noch einmal und ergänzen Sie.**

Niko sagt: Herr Schneider, Frau Schneider: ...Sie...............
Tina, Bruno: ............................

# A Das Bad ist dort.

## A1 Was sagt Niko noch? Ergänzen Sie und sprechen Sie.

das Wohnzimmer • das Schlafzimmer • die Küche • ~~das Bad~~ • die Toilette • der Balkon • der Flur

Das Bad ist dort. …

| der | das | die |
|---|---|---|
| Balkon | Bad | Küche |
| Flur | Wohnzimmer | Toilette |

CD 1 61

## A2 Hören Sie und variieren Sie.

▲ Sagen Sie mal, ist hier auch eine Küche?
● Ja, natürlich. Die Küche ist dort.

| Wo? | |
|---|---|
| | Hier. ● |
| | Dort. → ● |

ein Balkon → der Balkon
ein Bad → das Bad
eine Küche → die Küche

*Varianten:*
Balkon • Schlafzimmer • Kinderzimmer • Bad • Wohnzimmer

## A3 Meine Wohnung: Zeichnen Sie und sprechen Sie.

Das ist meine Wohnung.
Das ist die Küche.
Das Bad ist hier.
Das Wohnzimmer ist …

62

## B1 Ordnen Sie. Hören Sie dann und vergleichen Sie.

- [ ] Stimmt, es ist sehr klein.
- [1] Na? Wie gefällt Ihnen die Wohnung?
- [ ] Das Zimmer ist nicht groß.
- [ ] Ganz gut. Und was meinst du, Bruno?

## B2 Vergleichen Sie.

A

B

Haus A:
Das Haus ist billig.
Das Haus ist nicht ...
Das Haus ist sehr ...
...

Haus B:
Das Haus ist teuer.
Das Haus ist nicht ...
...

| | |
|---|---|
| neu | alt |
| billig | teuer |
| groß | klein |
| breit | schmal |
| schön | hässlich |
| hell | dunkel |

63

## B3 Hören Sie und variieren Sie.

▲ Wie gefällt Ihnen das Bad?
● Das Bad? Es ist sehr klein.
▲ Was? Das Bad ist doch nicht klein.
Es ist groß.

Das Bad ist | klein.
sehr klein.
nicht klein.

das Bad → es
der Balkon → er
die Wohnung → sie

*Varianten*:
die Küche – sie – alt – neu • der Balkon – er – schmal – breit •
die Wohnung – sie – teuer – billig • das Wohnzimmer – es – hässlich – schön

## B4 Partnerspiel: Wo wohne ich? Raten Sie.

▲ Wo wohne ich?
Mein Haus ist sehr schmal.
Es ist nicht teuer.
Und es ist schön.
● Ist es hell?
▲ Nein, es ist dunkel.
● Wohnst du in Haus 5?
▲ Ja, richtig.

1

2

3

4

5

6

# Ich habe nicht viele **Möbel**.

## C1 Was ist was? Ordnen Sie zu.

der Herd • ~~der Schrank~~ • der Kühlschrank • das Sofa • der Tisch • der Stuhl • das Bett • der Fernseher • die Waschmaschine • ~~die Dusche~~ • ~~die Lampe~~ • die Badewanne • das Waschbecken

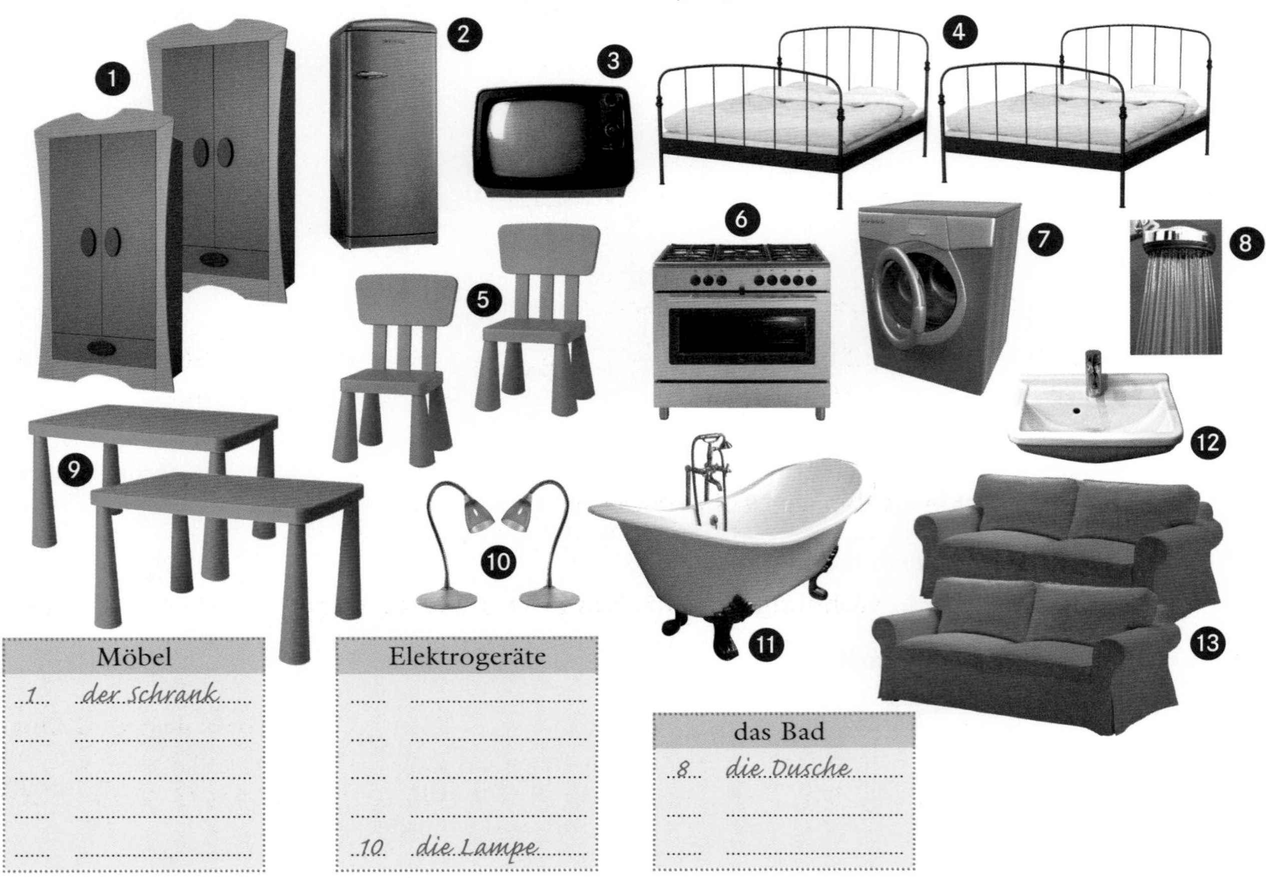

| Möbel | |
|---|---|
| 1 | der Schrank |
| | |
| | |
| | |
| | |

| Elektrogeräte | |
|---|---|
| | |
| | |
| | |
| | |
| 10 | die Lampe |

| das Bad | |
|---|---|
| 8 | die Dusche |
| | |
| | |

## C2 Sehen Sie das Bild oben an und sprechen Sie.

Wie gefallen Ihnen die Stühle?

Gut. Sie sind sehr schön.

Wie gefällt Ihnen der Herd hier?

Nicht so gut. Er ist hässlich.

☺ sehr gut / gut

😐 ganz gut / es geht

☹ nicht so gut

| | | | |
|---|---|---|---|
| der Stuhl | → | die | Stühle |
| der Schrank | | zwei | Schränke |
| der Tisch | | | Tische |
| die Lampe | | | Lampen |
| das Bett | | | Betten |
| das Sofa | | | Sofas |
| — | | | Möbel |

Wie gefällt Ihnen der Schrank?
Wie gefallen Ihnen die Schränke?

## C3 Rätsel: Was ist das?

Suchen Sie und zeigen Sie auf den Fotos oben.

Was ist das? Sie sind neu und blau.

Ich glaube, das sind die Stühle hier.

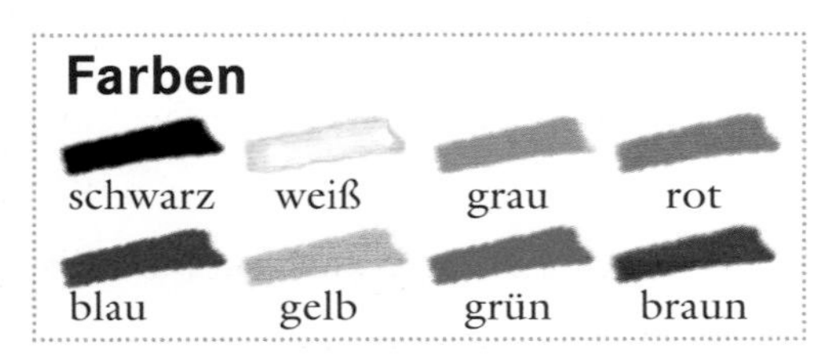

1 64 **D1** **Hören Sie und sprechen Sie nach.**

| 100 | 200 | 300 | 400 | 500 |
|---|---|---|---|---|
| hundert | zweihundert | dreihundert | vierhundert | fünfhundert |
| 600 | 700 | 800 | 900 | 1.000 |
| sechshundert | siebenhundert | achthundert | neunhundert | tausend |
| 10.000 | 100.000 | 1.000.000 | | |
| zehntausend | hunderttausend | eine Million | | |

1 65 **D2** **Welche Zahlen hören Sie? Kreuzen Sie an.**

| a | b | c | d | e | f |
|---|---|---|---|---|---|
| ☒ 100 | ☐ 2255 | ☐ 240 | ☐ 6973 | ☐ 89000 | ☐ 160000 |
| ☐ 110 | ☐ 2055 | ☐ 340 | ☐ 7972 | ☐ 88000 | ☐ 600000 |

**D3** **Diktieren Sie Zahlen und schreiben Sie.**

**D4** **Was kosten die Wohnungen? Markieren Sie die Mietpreise.**

1 qm/1m² = ein Quadratmeter

**Mietmarkt**

A
!!Suche 2-Zi-Wohnung bis 1000,– €, Westbalkon, Duisburg-Nord, Tel. 0175/657 80 57 37!!

B
Super: 3-Zimmer-Wohnung, 13. Stock, ca. 60 m², Küche, Bad, von privat, 550 Euro, 08161/88 75 80, ab 19 Uhr

C
1-Zi-Wohnung, möbliert, Balkon, TV, Kühlschrank etc., 588,– € + Garage, Tel. 0179/201 45 93

D
Mann (35) sucht Wohnung für 1 Jahr, Bochum-Süd, Tel. 0179/ 770 22 61

E
**Apartment, 36 m², großer Wohnraum, neue Küche, 440,- €, Nebenkosten 60,- €, 3 Monatsmieten Kaution, Tel. 23 75 95**

**D5** **Sie suchen eine Wohnung. Welche Anzeige passt?**

a Sie haben keine Familie und Sie haben keine Möbel. Anzeige C
b Sie möchten nur 400 bis 500 Euro Miete bezahlen. ...................
c Sie möchten eine Wohnung mit Balkon mieten. ...................
d Sie brauchen drei Zimmer. ...................

**Schon fertig?**
Schreiben Sie eine Wohnungsanzeige.

CD 1 66

**E1** **Hören Sie und kreuzen Sie an.**

a Wer verkauft etwas? ☐ Frau Baumann ☐ Herr Welker
b Was verkauft sie/er? ☐ Computertisch ☐ Schreibtisch

CD 1 66

**E2** **Hören Sie noch einmal und ergänzen Sie.**

**Schreibtisch**, sehr schön, nur ein Jahr alt, 120,- € / Tel. 0911-838129

● Welker. Hallo?

▲ Hallo? Hier ist Baumann. Sie verkaufen doch einen ............, richtig?

● Stimmt.

▲ Gut, dann habe ich zwei Fragen: Welche ............ hat der Tisch und ............ ist er?

● Also, der Tisch ist dunkelblau und ungefähr zwei Meter lang.

▲ ............? Wie lang ist er denn genau?

● Er ist genau zwei Meter und zweiundzwanzig Zentimeter lang.

▲ Ich möchte den Tisch gern sehen. Sind Sie denn heute zu Hause?

● ............ .

▲ Wo wohnen Sie denn?

● In der Paul-Heyse-Straße 41.

1 Meter = 100 Zentimeter
1 m = 100 cm

**E3** **Schreiben Sie ein Telefongespräch wie oben. Spielen Sie die Gespräche.**

**Sofa**
Preis: 150 €
Tel: 97 35 63

**Fernseher**
wie neu,
Tel: 71 49 37

**Kühlschrank**
gebraucht, Marke Bosch
Handy: 0174/335 78 65

*Guten Abend. Ist ... noch da?* — *Ja. / Nein.*
*Wie groß/alt/breit/hoch ... ist es/er denn?* — *Ungefähr ... Zentimeter/Meter breit/...* *Ungefähr ein Jahr / zwei Jahre alt.*
*Was kostet es/er denn?* — *... Euro.*
*Wo wohnen Sie denn?* — *In der ...straße.*
*Sind Sie heute zu Hause?* — *Ja, ich bin da. / Nein, ich bin nicht da.*

**Schon fertig?**
Was verkaufen Sie?
Schreiben Sie eine Anzeige.
Spielen Sie Gespräche.

## Grammatik

### 1 Artikel

| Singular | | bestimmter Artikel |
|---|---|---|
| maskulin<br>neutral<br>feminin | Hier ist<br>Hier ist<br>Hier ist | der Balkon.<br>das Bad.<br>die Küche. |
| Plural | Hier sind | die Kinderzimmer. |

ÜG, 2.01, 2.02

### 2 Personalpronomen

| Singular | | Personalpronomen |
|---|---|---|
| maskulin<br>neutral<br>feminin | Der Balkon?<br>Das Bad?<br>Die Küche? | Er ist dort.<br>Es ist dort.<br>Sie ist dort. |
| Plural | Die Kinderzimmer? | Sie sind dort. |

ÜG, 3.01

### 3 Negation

Der Stuhl ist nicht schön.

Das ist doch kein Stuhl. Das ist ein Sofa.

ÜG, 9.01

### 4 Nomen: Wortbildung

der Schrank: der Kühlschrank
das Zimmer: das Wohnzimmer
die Maschine: die Waschmaschine

ÜG, 11.01

## Wichtige Wendungen

**Nach dem Ort fragen: Wo ist …?**

Wo ist das Bad? – Hier. / Dort.
Ist hier auch ein Bad? – Ja. Dort. Das Bad ist hier.

**Gefallen/Missfallen: Wie gefällt Ihnen …?**

Wie gefallen Ihnen die Stühle?
Wie gefällt Ihnen die Wohnung?
Sehr gut. • Gut. • Ganz gut. •
Es geht. • Nicht so gut.

**Zustimmung**

Er kostet 60 Euro, richtig? –
Ja, genau. • (Das) stimmt. •
Ja, richtig.

**Beschreiben: Wie …?**

Wie ist das Bad? – Es ist groß / nicht groß / sehr groß.
Wie lang ist der Tisch? – Ungefähr zwei Meter lang.
Wie alt ist der Tisch? – Ungefähr zwei Jahre alt.

**Strategien**

Vorsicht!
Na?
Sagen Sie mal, …
… , richtig?

**Lesen Sie die Texte und hören Sie die Nachricht. Was passt? Kreuzen Sie an.**

CD 1 67

| | | a | b | c | d | e |
|---|---|---|---|---|---|---|
| **1** | Hier wohnt Andrea Keller. | ☐ | ☐ | ☐ | ☐ | ☐ |
| **2** | Hier finde ich Elektrogeräte. | ☐ | ☐ | ☐ | ☐ | ☐ |
| **3** | Hier ist ein Zimmer frei. | ☐ | ☐ | ☐ | ☐ | ☐ |
| **4** | Die Wohnung kostet 340 €. | ☐ | ☐ | ☐ | ☐ | ☐ |
| **5** | Hier finde ich die DILEDA-Versicherung. | ☐ | ☐ | ☐ | ☐ | ☐ |

Der Platz heißt *Rindermarkt.*

**München**, Rindermarkt, 1-Zi.-Whg., möbl., 1. Stock, ca. 27 m², Küche neu, € 270,- + € 70 NK; **Immobilien Heinzmann**; www.immoheinzmann.com

Hallo, Herr Demircan,
Sie kommen bald nach München.
Haben Sie denn schon eine Wohnung oder ein Zimmer?
Sehen Sie mal, hier ist ein Zimmer frei. Die Adresse ist Rindermarkt 1.
Zwei Kollegen wohnen schon dort: Herr Tschaidse und Herr Önder.
Das Zimmer ist möbliert (ein Regal, ein Tisch, ein Schrank, zwei Stühle, ein Bett).
Es kostet 230 Euro im Monat.
Das ist nicht teuer, oder?
Möchten Sie das Zimmer mal sehen?

Mit freundlichen Grüßen

Ilse Weiß
Gebr. Walther GmbH & Co. KG
Personalabteilung
Kettmeierstraße 11
82134 München

# 5 Mein Tag

FOLGE 5: *NUR EIN SPIEL!*

**1** **Sehen Sie die Fotos an.**
**Was meinen Sie?**
**Wer ist müde?**

**2** **Was ist richtig? Kreuzen Sie an.**

- ☐ Bruno spielt mit Tina.
- ☐ Bruno und Tina spielen mit Sara.
- ☐ Sara spielt mit Schnuffi und Poppel.

CD 2 2-9 **3** **Sehen Sie die Fotos an und hören Sie.**

## 4 Was passt? Ordnen Sie zu.

A

B

C

D

E

F

[C] Ich kaufe im Supermarkt ein.
[ ] Am Nachmittag mache ich Hausaufgaben.
[ ] Ich stehe von Montag bis Freitag um 5 Uhr auf.
[ ] Am Morgen mache ich das Frühstück.
[ ] Von 7 Uhr morgens bis 7 Uhr abends arbeite ich im Laden.
[ ] Ich bin am Vormittag in der Schule.

# 5 A Es ist schon neun Uhr.

CD 2 10

## A1 Hören Sie noch einmal und variieren Sie.

▲ Bitte Mama, nur ein Spiel!
● Nein, heute nicht mehr.
Es ist schon neun Uhr.
▲ Ach bitte!

*Varianten:*

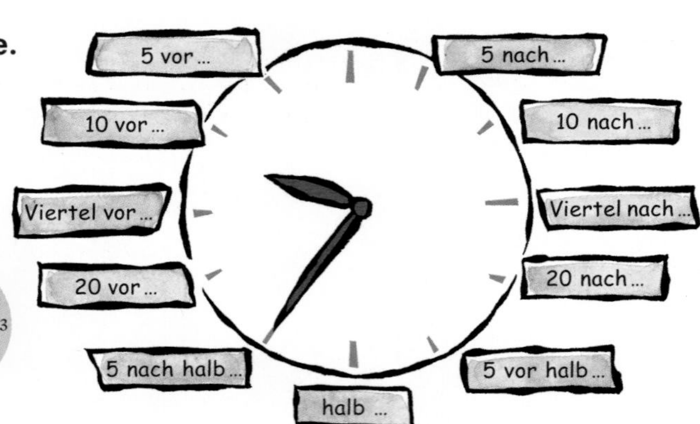


CD 2 11

## A2 Hören Sie und ordnen Sie zu.

A 

B 

C 

D 

| Text | 1 | 2 | 3 | 4 |
|---|---|---|---|---|
| Bild | B | | | |

| Man schreibt: | Man sagt: |
|---|---|
| 01.00 Uhr/13.00 Uhr | ein Uhr / eins |
| 01.15 Uhr/13.15 Uhr | Viertel nach eins |
| 01.30 Uhr/13.30 Uhr | halb zwei |
| 01.45 Uhr/13.45 Uhr | Viertel vor zwei |

CD 2 11

## A3 Hören Sie noch einmal. Zeichnen und schreiben Sie die Uhrzeit.

1 
zwanzig nach sieben

2 
............

3 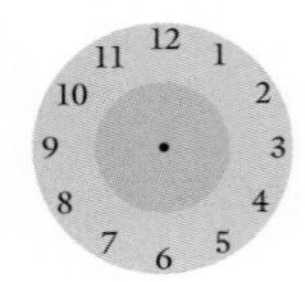
............

4 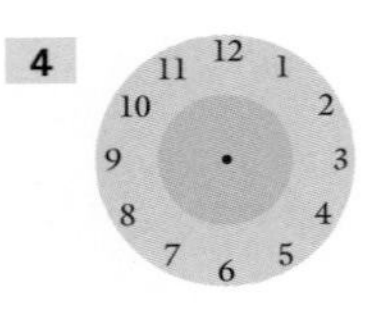
............

## A4 Wie spät ist es? Schreiben Sie.

a 7.04 Uhr kurz nach sieben
b 6.57 Uhr ............
c 11.02 Uhr ............
d 8.59 Uhr ............

9.58 Uhr = (Es ist) kurz vor zehn / gleich zehn.
10.02 Uhr = (Es ist) kurz nach zehn.

## A5 Zeichnen Sie und fragen Sie.

Wie spät ist es?

Es ist fünf vor halb eins.

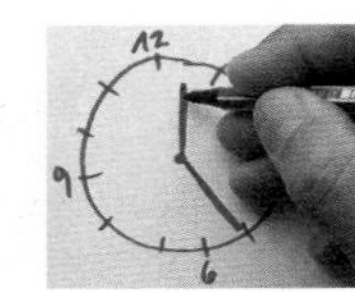

## B1 Ordnen Sie zu.

Bruno steht früh auf. • Tina macht das Frühstück. • Bruno arbeitet. • Sara ruft Niko an. • Tina kauft im Supermarkt ein. • ~~Tina räumt die Küche~~ auf. • Tina kocht das Mittagessen. • ~~Bruno sieht~~ fern.

## B2 Was macht Frau Bond? Hören Sie und sprechen Sie.

12

> Frau Bond steht auf. Sie ...

| ich | sehe | fern | ich | arbeite |
|---|---|---|---|---|
| er/sie | sieht | fern | er/sie | arbeitet |

## B3 Fragen Sie Ihre Partnerin / Ihren Partner. Was macht sie/er gern / nicht gern?

▲ Was machst du gern?
● Ich koche gern und ich kaufe gern ein.
▲ Aha, und was machst du nicht gern?
● Ich sehe nicht gern fern.

☺ gern ☹ nicht gern

früh auf|stehen • die Wohnung auf|räumen • fern|sehen • kochen • Fußball spielen • arbeiten • meine Eltern an|rufen • ein|kaufen • ...

## B4 Sprechen Sie über Ihre Partnerin / Ihren Partner.

> Cihan kocht gern und kauft auch gern ein.
> Aber sie sieht nicht gern fern.

# 5 C Ich stehe **von** Montag **bis** Freitag **um** fünf Uhr auf.

CD 2 13

## C1 Hören Sie und ergänzen Sie.

Bruno steht von *Montag*......... bis *Freitag*. um .......................... auf.

Tina steht am .......................... um zehn Uhr auf.

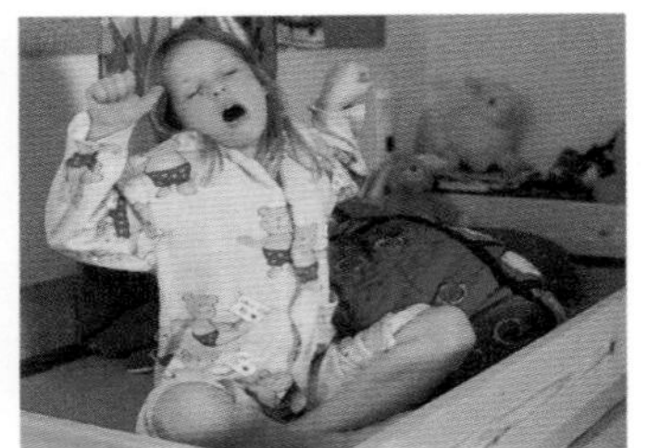

Sara steht am .............................. spät auf, erst um ...................... ..................... .

März 12 Montag

März 13 Dienstag

März 14 Mittwoch

März 15 Donnerstag

März 16 Freitag

März 17 Samstag

März 18 Sonntag

CD 2 14

## C2 Hören Sie und variieren Sie.

▲ Hast du am Samstag Zeit?

● Ja. Warum?

▲ Ich habe Geburtstag und mache eine Party. Kommst du auch?

● Ja, gern. Wann fängt die Party denn an?

▲ Um sieben Uhr.

Wann ...? Am Sonntag.
Um 8 Uhr.

*Varianten:*
Sonntag – 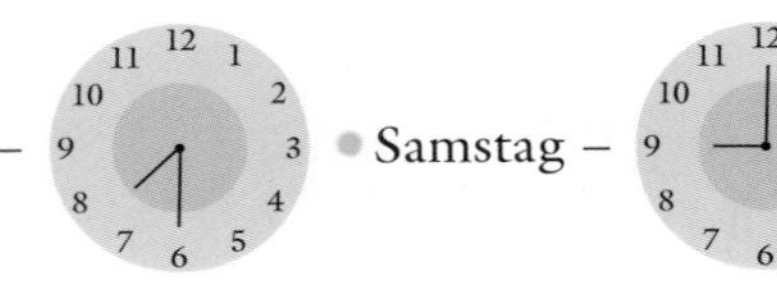 • Freitag – • Samstag –

CD 2 15

## C3 Hören Sie und kreuzen Sie an.

Der Intensivkurs ist
- [x] von neun bis zwölf Uhr.
- [ ] von acht bis zwölf Uhr.

Der Abendkurs ist
- [ ] am Montag und Freitag.
- [ ] am Montag und Mittwoch.

Der Abendkurs ist
- [ ] von sechs bis halb neun.
- [ ] von sechs bis halb acht.

Wann ...? Von Montag **bis** Freitag.
Von neun **bis** zwölf Uhr.

**C4** **Valentinas Woche: Schreiben Sie und sprechen Sie.**

| Mo | Di | Mi | Do | Fr | Sa |
|---|---|---|---|---|---|
| 14–15 Uhr Hausaufgaben machen | 16–18 Uhr Hausaufgaben machen | 16–18 Uhr Hausaufgaben machen | 14–16 Uhr einkaufen mit Daniela | 17 Uhr aufräumen | 11 Uhr Hannes kommt !!! |
| 15.30 Uhr Fußball spielen mit Thomas | | 19.30 Uhr Hannes anrufen | | | |

*Montag: Valentina macht von zwei bis drei Uhr Hausaufgaben.*

16 **C5** **Hören Sie ein Telefongespräch. Wann hat Valentina Zeit?**

**C6** **Arbeiten Sie mit Ihrer Partnerin / Ihrem Partner zusammen. Sie sind A, Ihre Partnerin / Ihr Partner ist B. Sie möchten gemeinsam einkaufen gehen. Suchen Sie einen Termin von zwei Stunden.**

Hast du am Montag um 11 Uhr Zeit?

Nein, tut mir leid. Am Montag arbeite ich bis 14 Uhr.

Und am Dienstag ...?

**A**

| Mo | Di | Mi | Do | Fr | Sa |
|---|---|---|---|---|---|
| *8–14 Uhr arbeiten* | *8–14 Uhr arbeiten* | *8–14 Uhr arbeiten* | *8–14 Uhr arbeiten* | *Eltern kommen* | *Eltern kommen* |
| | *17 Uhr mit Jana ins Kino!* | *16–18 Uhr Französischkurs* | *15–16 Uhr aufräumen* | | |

**B**

| Mo | Di | Mi | Do | Fr | Sa |
|---|---|---|---|---|---|
| *9 Uhr zum Arzt gehen!* | | | | *13–14 Uhr essen mit Peter* | *aufräumen* |
| *16–17.00 Uhr Deutschkurs* | *14–19.30 Uhr Deutschkurs* | *14–19.30 Uhr Deutschkurs* | *16–17.00 Uhr zum Zahnarzt gehen* | | |

**Schon fertig?**
Schreiben Sie Ihren Terminkalender für nächste Woche auf Deutsch.

## D1 Ergänzen Sie.

am Morgen • am Abend • am Vormittag

.................... .................... am Mittag am Nachmittag .................... in der Nacht

## D2 Hören Sie das Gespräch. Ordnen Sie dann zu: Was macht Robert wirklich?

CD 2 17

Pizza essen • Sofia anrufen • ins Kino gehen • ~~Musik~~ hören • spazieren gehen • fernsehen

A: *Musik hören*

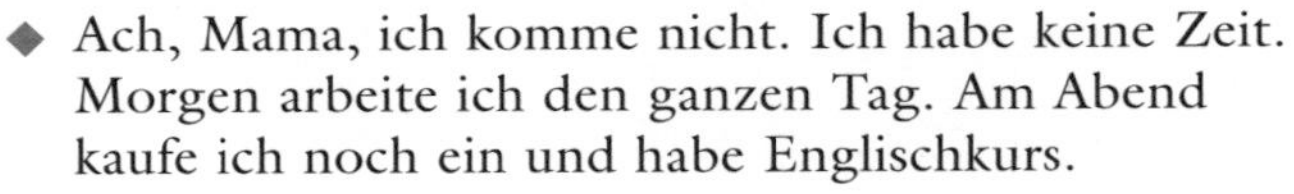

■ Robert, wann kommst du morgen?

◆ Ach, Mama, ich komme nicht. Ich habe keine Zeit. Morgen arbeite ich den ganzen Tag. Am Abend kaufe ich noch ein und habe Englischkurs.

B

..............................

C

..............................

D

..............................

E

..............................

F

..............................

## D3 Was macht Robert wann? Sprechen Sie.

| | | |
|---|---|---|
| Robert hört | am Morgen | Musik. |
| Robert sieht | am Vormittag | ... |
| Robert ... | am Mittag | |
| ... | am Nachmittag | |
| | am Abend | |
| | in der Nacht | |

ich esse
er/sie isst

## D4 Schreiben Sie.

*Am Morgen hört Robert Musik.*
*Am Vormittag ...*
*Am Mittag ...*

*Am Nachmittag ...*
*Am Abend ...*
*In der Nacht ...*

Robert hört *am Morgen* Musik.
=
*Am Morgen* hört Robert Musik.

## D5 Ihr Tag: Erzählen Sie.

Ich stehe jeden Morgen um sieben Uhr auf.
Um ... frühstücke ich.
Von ... bis ...

Montag bis Sonntag = jeden Tag
*auch so:* jeden Morgen
jeden Abend
jede Nacht

## D6 „Mein Traumtag". Schreiben Sie.

spät aufstehen • nicht arbeiten • meine Familie sehen • nicht kochen • Kaffee trinken • ein Picknick machen • baden • spazieren gehen

Kaffee trinken

ein Picknick machen

baden

spazieren gehen

*Mein Traumtag:*
*Ich stehe erst spät auf, so um elf.*
*Dann ...*

**Schon fertig?**
Kein Traumtag!
Heute ist alles schlecht. ...
Schreiben Sie.

## E1 Wann ist geöffnet? Lesen Sie die Schilder und markieren Sie.

**A**

**Arztpraxis**
Frau Dr. Annette Krönke

Sprechstunde
Montag bis Donnerstag
8.30 bis 16.30 Uhr,
Freitag 9.00 bis 12.00 Uhr

**B**

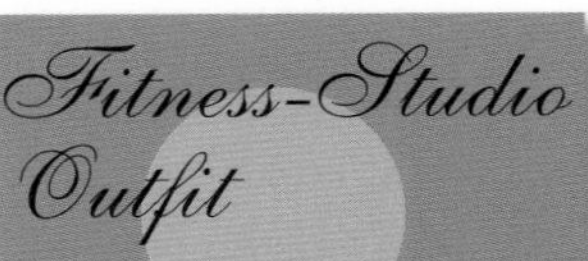


Öffnungszeiten:
Mo bis Fr 9.30 bis 23.00 Uhr
Sa 9.00 bis 16.00 Uhr
So 9.00 bis 12.30 Uhr

**C**

**Agentur für Arbeit**

Geschäftszeiten
Mo – Mi 8.00 – 16.00 Uhr
Do 7.30 – 18.00 Uhr
Fr 8.00 – 13.30 Uhr

**D**

Friseursalon
**Erna**

geöffnet:
Di–Fr 9 – 18.30 Uhr
Sa 8 – 13 Uhr

CD 2 18

## E2 Hören Sie und ordnen Sie zu.

| Ansage | 1 | 2 | 3 | 4 |
|---|---|---|---|---|
| Schild | B | | | |

CD 2 19

## E3 Hören Sie und ergänzen Sie.

**Öffnungszeiten:**

Mo – Fr ........ : 9.00 – .................. Uhr

.................. – .................. Uhr

Sa: 8.00 – .................. Uhr

| offiziell (Bahnhof, Kino, Nachrichten ...): | privat (Familie, Freunde): |
|---|---|
| 14:30 vierzehn Uhr dreißig | halb drei |
| 14:45 vierzehn Uhr fünfundvierzig | Viertel vor drei |

## E4 Ordnen Sie zu.

| | offiziell | | privat |
|---|---|---|---|
| a | zwölf Uhr fünf | 20:50 | zehn vor neun |
| b | zwanzig Uhr fünfzig | 23:15 | halb sieben |
| c | achtzehn Uhr dreißig | 10:35 | zwanzig vor elf |
| d | zweiundzwanzig Uhr vierzig | 12:05 | Viertel nach elf |
| e | dreiundzwanzig Uhr fünfzehn | 18:30 | fünf nach halb elf |
| f | zehn Uhr fünfunddreißig | 22:40 | fünf nach zwölf |

**Schon fertig?**
„Ihr Laden".
Machen Sie ein Schild.

## Grammatik

### 1 Trennbare Verben

| | | |
|---|---|---|
| auf✂räumen | → | Tina räumt auf. |
| auf✂stehen | → | Bruno steht auf. |
| ein✂kaufen | → | Sara kauft ein. |

→ ÜG, 5.02

### 2 Trennbare Verben im Satz

| | Position 2 | | Ende |
|---|---|---|---|
| Tina | räumt | die Wohnung | auf. |
| Bruno | steht | jeden Tag um 5 Uhr | auf. |
| Sara | kauft | mit Tina | ein. |

→ ÜG, 10.02

### 3 Temporale Präpositionen

Wann gehen Sie zum Deutschkurs?

| | |
|---|---|
| Am Morgen. | → Tageszeit |
| *aber:* in der Nacht | |
| Am Montag. | → Tag |
| Um Viertel vor/nach acht. | → Uhrzeit |
| Von Montag bis Freitag. | |

→ ÜG, 6.01

### 4 Verb: Konjugation

| | arbeiten | fernsehen | essen |
|---|---|---|---|
| ich | arbeite | sehe fern | esse |
| du | arbeitest | siehst fern | **isst** |
| er/es/sie | arbeitet | sieht fern | **isst** |
| wir | arbeiten | sehen fern | essen |
| ihr | arbeitet | seht fern | esst |
| sie/Sie | arbeiten | sehen fern. | essen |

→ ÜG, 5.01, 5.02

### 5 Verb: Position im Hauptsatz

| | Position 2 | |
|---|---|---|
| Robert | hört | *am Morgen* Musik. |
| *Am Morgen* | hört | Robert Musik. |

→ ÜG, 10.01

## Wichtige Wendungen

**Uhrzeit: Wie spät ist es?**

Wie spät ist es? –
(Es ist) achtzehn Uhr dreißig. / Es ist halb 7.

**Öffnungszeiten: (Von wann bis) wann ist geöffnet?**

Wann ist die Praxis geöffnet? –
Von 8 Uhr 30 bis 16 Uhr 30.

**Vorlieben: Was machst du (nicht) gern?**

Ich koche gern.
Ich arbeite nicht gern.

**Verabredung: Haben Sie Zeit?**

Haben Sie am Samstag Zeit? –
Ja. Warum? / Nein, ich habe keine Zeit.
Kommen Sie auch? – Ja, gern. Wann denn?

**Strategien**

Aha!
Ja, gern.
Ach bitte!

# 5 Wann hast du denn mal Zeit, Vera?

1 06:00 aufstehen

2 06:30 das Frühstück machen

3 07:15 Luka in die Kinderkrippe bringen

4 07:30 Tom in den Kindergarten bringen

5 07:45 arbeiten 6 16:00

7 16:15 einkaufen

8 16:45 Tom aus dem Kindergarten holen

9 17:00 Luka aus der Kinderkrippe holen

**1** **Was macht Vera wann? Stellen Sie Ihrer Partnerin / Ihrem Partner fünf Fragen.**

Was macht Vera um zehn am Abend?

Sie geht ins Bett.

Wann bringt sie Luka in die Kinderkrippe?

10 17:30 kochen

11 18:00 essen

12 18:30 mit Tom und Luka spielen

Hallo! Ich heiße Vera Szipanski und bin 28 Jahre alt. Ich bin geschieden und habe zwei Söhne. Tom ist vier und Luka ist zwei. Luka geht in die Kinderkrippe und Tom geht in den Kindergarten. Wir wohnen in Stuttgart. Die Wohnung ist sehr klein. Sie hat nur zwei Zimmer. Ich bin Verkäuferin und arbeite von Montag bis Freitag von 7 Uhr 45 bis 16 Uhr.

Meine Eltern wohnen in Norddeutschland und mein Ex-Mann lebt seit zwei Jahren in der Schweiz. Ich habe die Kinder also jeden Morgen, jeden Abend und Samstag und Sonntag natürlich den ganzen Tag.

Ich hätte so gern mehr Zeit für mich. Zum Beispiel möchte ich mal wieder ins Kino gehen. Aber am Abend bin ich einfach zu müde.
Meine Freundinnen fragen am Telefon: „Wann hast du denn mal Zeit, Vera?"
Und ich antworte: „Heute nicht.
Tut mir leid, ich bin total fertig.
Heute möchte ich nur noch ins Bett."

13 19:30 die Kinder ins Bett bringen

14 20:00 aufräumen

15 20:30 eine Freundin anrufen, ein Buch lesen oder fernsehen

16 22:00 ins Bett gehen

## 2 Endlich Zeit!

Vera hat am Wochenende Zeit. Planen Sie mit Ihrer Partnerin / Ihrem Partner Veras Wochenende. Machen Sie Notizen und erzählen Sie.

Samstag: lange schlafen
Um elf frühstücken mit Karla
Am Nachmittag ...
...

Am Samstag schläft sie lange.

Um elf frühstückt sie mit Karla.

# 6 Freizeit

FOLGE 6: *GRILL-COLA*

**1** **Sehen Sie die Fotos an. Kreuzen Sie an.**

**a** Was macht die Familie?

☐ Eine Party. ☐ Ein Picknick.

**b** Wo ist die Familie?

☐ Im Park. ☐ Im Garten.

**c** Wie ist das Wetter?

☐ Die Sonne scheint. ☐ Es regnet.

**2** **Zeigen Sie: Wo ist … ?**

Kohle • Cola

20-27 **3** **Sehen Sie die Fotos an und hören Sie.**

**4** **Was ist richtig? Kreuzen Sie an.**

| | | | | |
|---|---|---|---|---|
| a | Was macht Familie Schneider heute? | ☐ eine Party | ☒ ein Picknick | ☐ ein italienisches Essen |
| b | Was hat Tina dabei? | ☐ Salat | ☐ Käse | ☐ Tomaten |
| c | Was hat Bruno dabei? | ☐ Tee | ☐ Apfelsaft | ☐ Cola |
| d | Was möchte Sara trinken? | ☐ Wasser | ☐ Apfelsaft | ☐ Cola |
| e | Was braucht die Familie? | ☐ Kohle | ☐ Cola | ☐ Wasser |
| f | Was bringt Niko mit? | ☐ Kohle | ☐ Wasser | ☐ Cola |

## A1 Ordnen Sie zu.

☐ Es regnet. [B] Es sind 25 Grad. Es ist warm. ☐ Die Sonne scheint. ☐ Es ist windig.
☐ Es sind nur 7 Grad. Es ist kalt. ☐ Es schneit.

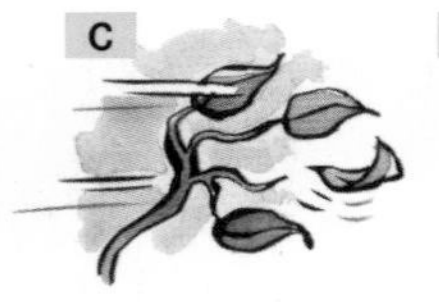

CD 2 28

## A2 Ordnen Sie. Hören Sie dann und vergleichen Sie.

[1] Wie ist denn das Wetter?
☐ Es regnet gar nicht. Hier guck mal: Die Sonne scheint.
☐ Nicht so schön. Es regnet.
☐ Also kein Picknick heute. Sehr gut!

Wie ist das Wetter?

| ☺ | ☹ |
|---|---|
| Gut. | Schlecht. |
| Schön. | Nicht so gut/ schön. |

## A3 Sehen Sie die Karte an. Fragen Sie und antworten Sie.

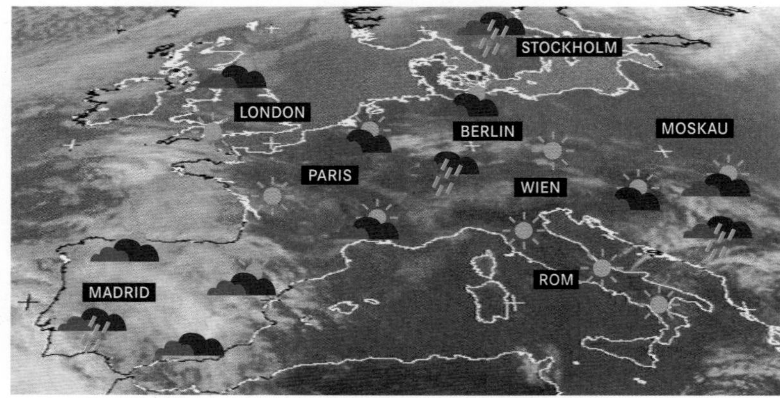


■ Wie ist das Wetter in Italien?
◆ Gut. Die Sonne scheint.
■ Und in England?
◆ Im Norden ist es bewölkt. Im Süden scheint die Sonne.

im Norden
im Westen im Osten
im Süden

## A4 Klassenplakat: Sprechen Sie über Ihr Land.

Wie ist das Wetter in der Ukraine?

Im Sommer haben wir circa 25 Grad, im Winter minus 5 Grad oder so.

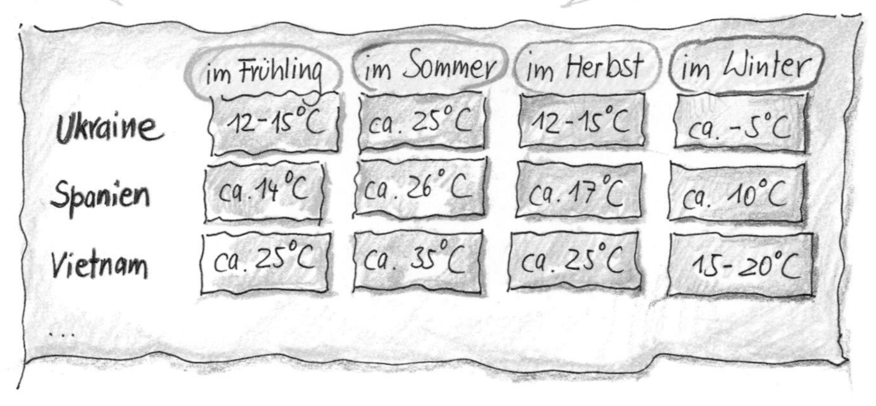

| | im Frühling | im Sommer | im Herbst | im Winter |
|---|---|---|---|---|
| Ukraine | 12-15°C | ca. 25°C | 12-15°C | ca. -5°C |
| Spanien | ca. 14°C | ca. 26°C | ca. 17°C | ca. 10°C |
| Vietnam | ca. 25°C | ca. 35°C | ca. 25°C | 15-20°C |
| ... | | | | |

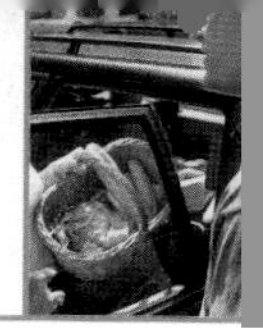

2 29 **B1** **Hören Sie noch einmal und ergänzen Sie.**

den • die • ~~den~~ • der

▲ Hast du ...*den*........ Fisch, Tina?
● Ja.
▲ Und wo ist .................... Salat?
Hast du .................... Salat?
● Ja. ... Und du? Hast du .................... Getränke?
▲ Ich? Natürlich. Ich habe alles.

| | | | |
|---|---|---|---|
| Wo *ist* | **der** Salat? | *Hast* du | **den** Salat? |
| | das Brot? | | das Brot? |
| | die Cola? | | die Cola? |
| *sind* | die Getränke? | | die Getränke? |

2 30 **B2** **Hören Sie und variieren Sie.**

■ Wo ist der Käse? Hast du den Käse?
◆ Oh, tut mir leid, den Käse habe ich nicht.

*Varianten:*
das Fleisch • der Wein • die Kartoffeln • das Salz • die Milch • der Kuchen

**B3** **Sehen Sie die Speisekarte an. Sprechen Sie mit Ihrer Partnerin / Ihrem Partner.**

| Kleine Speisen | Getränke |
|---|---|
| Gulaschsuppe | Mineralwasser |
| Currywurst | Apfel-/Orangensaft |
| Pizza Tomate-Käse | Cola |
| Pizza Salami | Zitronenlimonade |
| Wurstbrot | Bier |
| Käsebrot | |
| Salat mit Ei | |

■ Also, ich möchte eine Currywurst und eine Cola. Und du?
◆ Ich weiß nicht. Ich glaube, ich trinke nur einen Apfelsaft.

| | |
|---|---|
| Ich trinke/möchte | **einen** Apfelsaft. |
| | ein Wasser. |
| | eine Cola. |

**B4** **Planen Sie eine Grillparty.**

Wer kauft das Fleisch?
Und wer kauft den Wein?

Ich kaufe das Fleisch.

Ich kaufe den Wein.

Fleisch → Paulos
Wein → Tatjana

# C Du hast das Brot **nicht** dabei. – **Doch,** da ist es.

CD 2 31

## C1 Hören Sie und variieren Sie.

▲ Sag mal, hast du den Salat dabei?
● Ja, da ist er.

*Varianten:*

▲ Sag mal, hast du das Brot nicht dabei?
● Doch, da ist es.

Hast du das Brot dabei? Ja./Nein.
Hast du das Brot **nicht** dabei? **Doch**./Nein.

## C2 Im Deutschkurs: Fragen Sie und antworten Sie.

Hast du das Deutschbuch heute nicht dabei? ▲ Doch. ● Nein.

das Handy • der Kugelschreiber • die Hausaufgaben • das Wörterbuch • das Lerntagebuch • ...

CD 2 32

## C3 Hören Sie Gespräch a und ergänzen Sie. Ergänzen Sie b und c. Hören Sie dann und vergleichen Sie.

Möchtest du **keinen** Fußball? – **Doch**./Nein.

a

● Hallo, Markus. Du, was möchtest du zum Geburtstag? Einen Fußball?
▲ Ja, ich möchte gerne ........................ Fußball.
● Ach, du möchtest ........................ Fußball?
▲ Doch! Ich möchte sehr gerne ........................ Fußball.

b

■ Ein super Picknickwetter!
▼ Ja, stimmt.
■ Möchten Sie ........................ Cola?
▼ ........................, ich trinke gern ........................ Cola.
■ Ach, Sie möchten ........................ Cola?
▼ ........................! Ich möchte ........................ Cola.

c

● Na, Kinder, möchtet ihr ein Eis?
■ ........................, wir möchten gern ........................ Eis.
● Oh, ihr möchtet ........................ Eis?
■ ........................! Wir möchten ........................ Eis.

## C4 Schreiben Sie Fragen und fragen Sie Ihre Partnerin / Ihren Partner.

*Spielst du gern Fußball?*
*Hast du einen Hund?*
*Sprichst du Englisch?*
*Isst du gern Eis?*
*...*

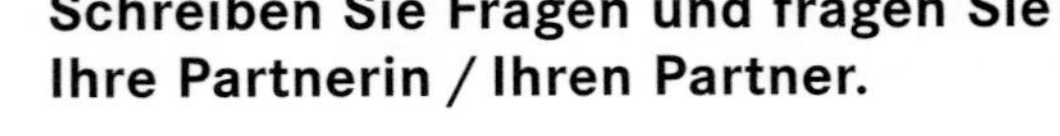

● Spielst du gern Fußball?
▲ Ja, ich spiele sehr gern Fußball.
● Was? Du spielst nicht gern Fußball?
▲ Doch!

■ Hast du einen Hund?
● Nein.
■ Was? Du hast keinen Hund?
● Nein.

## D1 Ordnen Sie zu.

~~lesen~~ • Briefe schreiben • Fahrrad fahren • schwimmen • grillen • tanzen • Freunde treffen • ~~schlafen~~

A 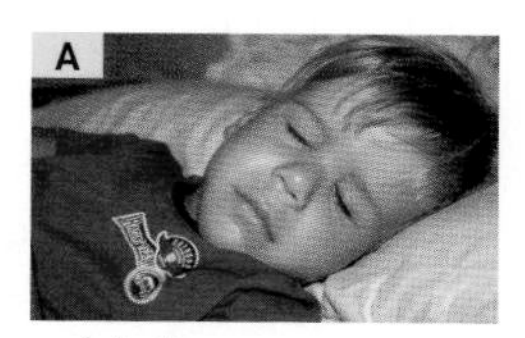
*schlafen*

B 
*lesen*

C 

..........

D 
..........

E ..........

F ..........

G ..........

H 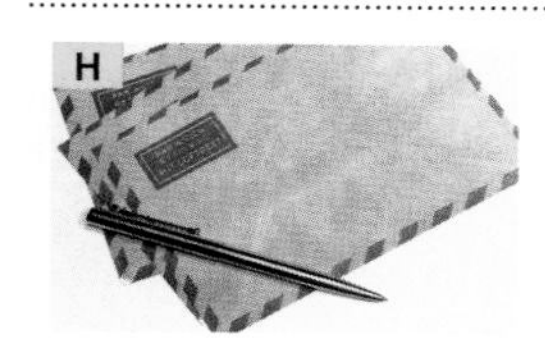
..........

## D2 Sprechen Sie.

■ Was sind deine Hobbys?
◆ Lesen und schwimmen. Und was machst du in der Freizeit? Liest du auch gern?
■ Na ja, es geht. Ich mache gern Sport: schwimmen, Fußball spielen und Fahrrad fahren.

*Was sind Ihre/deine Hobbys?* — *Meine Hobbys sind ...*
*Was machst du in der Freizeit?/ Was machen Sie in der Freizeit?* — *Ich ... (gern).*

| | | | | |
|---|---|---|---|---|
| du | liest | triffst | fährst | schläfst |
| er/sie | liest | trifft | fährt | schläft |

## D3 Lesen Sie und sammeln Sie Informationen über die Personen.

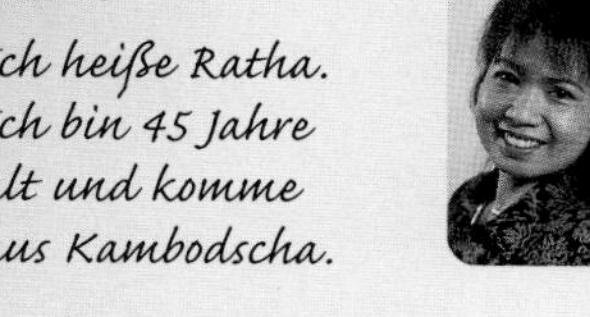

*Hallo!*
*Ich heiße Ratha. Ich bin 45 Jahre alt und komme aus Kambodscha.*
*In der Freizeit treffe ich Freunde, gehe tanzen oder ins Kino. Mein Lieblingsfilm ist „Titanic". Ich schreibe sehr gern Briefe und E-Mails.*
*Bitte schreibt mir.*
*Ratha*

**Brieffreunde aus aller Welt gesucht!**
**Christian, 38, Hobbys: Fußball spielen, schwimmen, afrikanisch und japanisch kochen.**
**Schreibt an:**
Christian Wenzli
Burgweg 11
8023 Zürich
Schweiz

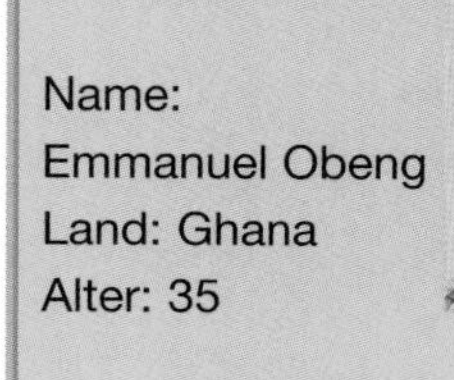

Name:
Emmanuel Obeng
Land: Ghana
Alter: 35

Hobbys:
Musik hören, fernsehen, Sport machen (Karate, Boxen, Fußball, Schwimmen)

Kontakt

*Ratha kommt aus Kambodscha. Sie ist 45 Jahre alt. In der Freizeit ...*
*Christian kommt ... Er ist ... Er spielt gern ...*
*Emmanuel kommt ... Er ... Er hört ...*

## D4 Schreiben Sie eine Anzeige.

Geben Sie folgende Informationen:
Name • Land • Alter • Hobbys • Lieblingsfilm • Lieblingsbuch • Lieblingsmusik • ...

**Schon fertig?**
Antworten Sie auf die Anzeige von Ihrer Partnerin / Ihrem Partner.

CD 2 33

**E1 Was ist richtig? Hören Sie und kreuzen Sie an.**

| | | | | |
|---|---|---|---|---|
| a | Wo regnet es? | ☐ In München. | ☐ In Hof. | ☐ In Passau. |
| b | Wie ist das Wetter morgen? | ☐ Die Sonne scheint. | ☐ Es regnet. | ☐ Es ist kalt. |
| c | Wie viel Grad sind es in Sachsen? | ☐ 8 bis 11 Grad. | ☐ 8 bis 12 Grad. | ☐ 6 bis 12 Grad. |

**E2 Welche Wörter kennen Sie? Lesen Sie und markieren Sie.**

**A**

Am Freitag ist es sonnig. Die Temperaturen erreichen Werte zwischen 18 und 23 Grad. Es ist nicht mehr so windig.

**B**

Im Norden und Westen scheint schon heute die Sonne, im Süden und Osten regnet es aber noch. Für Donnerstag heißt die Prognose aber: Sonnenschein überall! Die Temperaturen steigen bis auf 25 Grad.

**C**

Wetter ▸ Deutschland ▸ Aachen

| | | |
|---|---|---|
| **Heute** bewölkt | | Minimal 11° Maximal 16° |
| **Di** Regen | | Minimal 8° Maximal 13° |
| **Mi** bewölkt | | Minimal 5° Maximal 12° |
| **Do** sonnig | | Minimal 9° Maximal 14° |
| **Fr** sonnig | | Minimal 11° Maximal 16° |

**D**

**Heute meist bewölkt und Regen in West- und Norddeutschland bei 4 bis 9 Grad. Im Süden Sonnenschein bei 9 bis 13 Grad, am Dienstag überall Regen und die Temperaturen sinken.**

**E3 Richtig oder falsch? Lesen Sie noch einmal und kreuzen Sie an.**

| Text | | richtig | falsch |
|---|---|---|---|
| A | Am Freitag scheint die Sonne. | ☒ | ☐ |
| | Der Wind ist stark. | ☐ | ☐ |
| B | Heute scheint in ganz Deutschland die Sonne. | ☐ | ☐ |
| | Am Donnerstag ist es warm. | ☐ | ☐ |
| C | Heute sind es in Aachen 9 bis 14 Grad. | ☐ | ☐ |
| | Am Mittwoch sind es 8 bis 13 Grad. | ☐ | ☐ |
| D | In Norddeutschland regnet es heute. | ☐ | ☐ |
| | Im Süden scheint heute die Sonne. | ☐ | ☐ |

**Schon fertig?**

Wie ist das Wetter heute? Und morgen? Schreiben Sie.

## Grammatik

### 1 Akkusativ: bestimmter Artikel

| Singular | | Nominativ | | Akkusativ |
|---|---|---|---|---|
| maskulin | Wo ist | der Salat? | Ich habe | **den** Salat. |
| neutral | Wo ist | das Salz? | Ich habe | das Salz. |
| feminin | Wo ist | die Milch? | Ich habe | die Milch. |
| Plural | Wo sind | die Getränke? | Ich habe | die Getränke. |

ÜG, 2.01, 2.02

### 2 Akkusativ: unbestimmter Artikel

| Singular | | Nominativ | | Akkusativ |
|---|---|---|---|---|
| maskulin | Ist das | ein Salat? | Ich möchte | **einen** Salat. |
| neutral | Ist das | ein Ei? | Ich möchte | ein Ei. |
| feminin | Ist das | eine Banane? | Ich möchte | eine Banane. |
| Plural | Sind das | Orangen? | Ich möchte | Orangen. |

ÜG, 2.01, 2.02

### 3 Akkusativ: Negativartikel

| Singular | | Nominativ | | Akkusativ |
|---|---|---|---|---|
| maskulin | Das ist | kein Salat. | Ich habe | **keinen** Salat. |
| neutral | Das ist | kein Salz. | Ich habe | kein Salz. |
| feminin | Das ist | keine Milch. | Ich habe | keine Milch. |
| Plural | Das sind | keine Bananen. | Ich habe | keine Bananen. |

ÜG, 2.03

### 4 Ja-/Nein-Frage: *ja – nein – doch*

| Frage | Antwort | |
|---|---|---|
| Hast du das Brot dabei? | Ja. | Nein. |
| Hast du das Brot **nicht** dabei? | **Doch.** | Nein. |
| Haben Sie **keinen** Tee? | **Doch.** | Nein. |

ÜG, 10.03

### 5 Verb: Konjugation

| | lesen | treffen | schlafen |
|---|---|---|---|
| ich | lese | treffe | schlafe |
| du | liest | triffst | schläfst |
| er/es/sie | liest | trifft | schläft |
| wir | lesen | treffen | schlafen |
| ihr | lest | trefft | schlaft |
| sie/Sie | lesen | treffen | schlafen |

*auch so:* fahren

ÜG, 5.01

## Wichtige Wendungen

**Vorlieben: Mein Lieblingsbuch**

Mein Lieblingsbuch/Lieblingsfilm ist …
Meine Lieblingsmusik ist …

**Das Wetter**

Wie ist das Wetter?
Gut. • Schön. • Schlecht. • Nicht so gut/schön. • Die Sonne scheint. • Es regnet. • Es ist windig. • Es ist bewölkt. • Es schneit. • Es ist warm. • Es ist kalt. • Im Norden sind es 10 Grad. • Im Sommer haben wir circa 25 Grad.

**Hobbys**

Was sind Ihre/deine Hobbys? – Meine Hobbys sind Lesen und E-Mails schreiben.

Was machen Sie / machst du in der Freizeit? – Ich lese gern.

**Strategien**

Also, … • Oh, … • Sag mal, … • Guck mal! • Na ja!

**1** **Lesen Sie den Text.**

**a** Welche Vereine kennen Sie? Sammeln Sie.

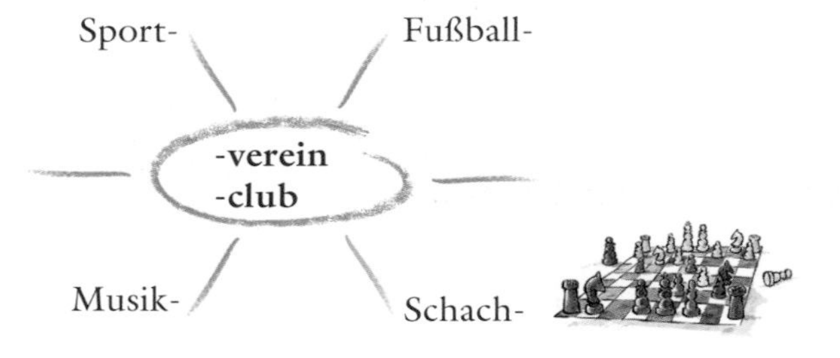

**b** Was finden Sie interessant? Sprechen Sie.

> Der Musikverein ist interessant.
> Ich singe gern und ich spiele Gitarre.

34 **2** **Hören Sie das Lied und singen Sie mit.**

# 7 Kinder und Schule

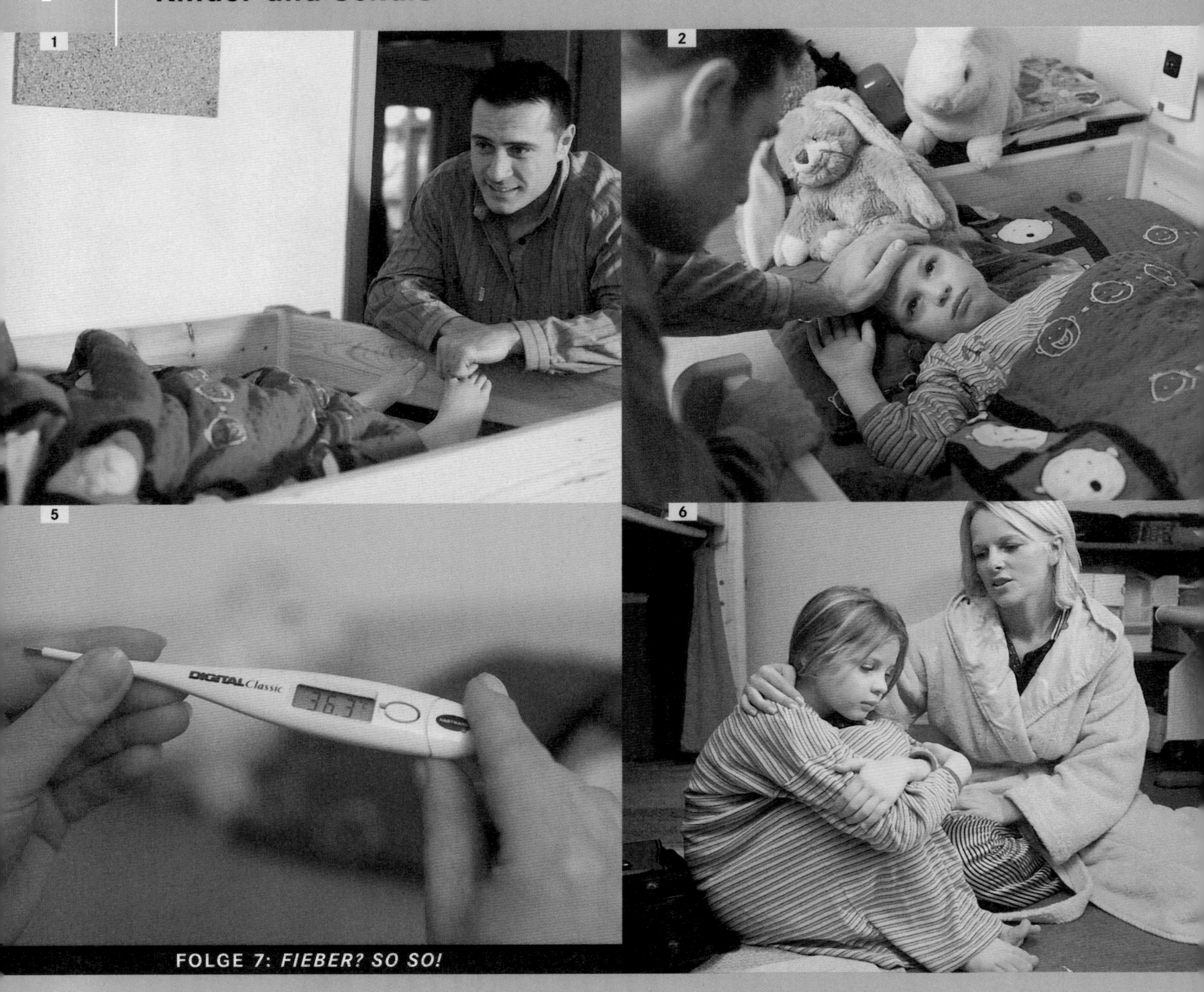


FOLGE 7: *FIEBER? SO SO!*

## 1 Sehen Sie die Fotos an. Was meinen Sie: Wer sagt was?

| | Bruno | Tina | Sara |
|---|---|---|---|
| Ich habe Fieber. | | | |
| Sara ist krank. | | | |
| Ich will die Lehrerin anrufen. | | | |
| Ihr schreibt heute ein Diktat. | | | |
| Ich will nicht in die Schule gehen. | | | |

35-42

## 2 Sehen Sie die Fotos an und hören Sie.

## 3 Ordnen Sie die Sätze.

- ☐ Sara kommt nach Hause.
  Sie hat kein Diktat geschrieben.
- ☐ Tina sagt: Sara, du hast kein Fieber!
- 1 Sara sagt: Ich habe Fieber.
- ☐ Sara geht in die Schule.
- ☐ Bruno will Frau Müller, die Lehrerin, anrufen.

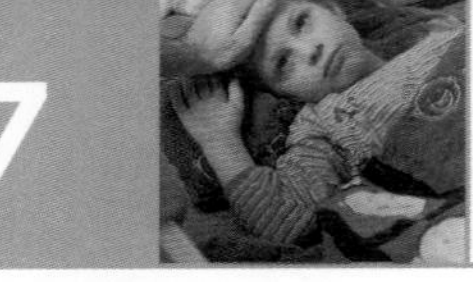

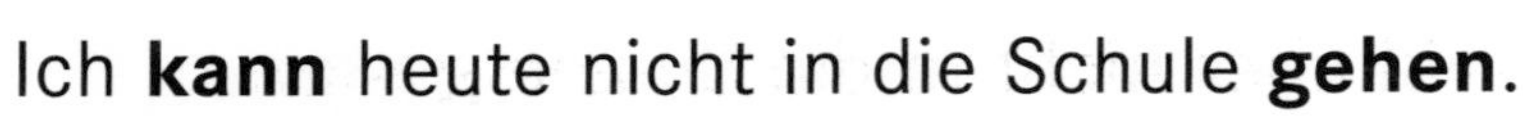

# 7 A Ich **kann** heute nicht in die Schule **gehen**.

CD 2 43

## A1 Verbinden Sie die Sätze. Hören Sie noch einmal und vergleichen Sie.

a Mir geht es gar nicht gut.
b Sara hat Fieber.
c Du hast kein Fieber.

Sie kann heute nicht in die Schule gehen.
Du kannst in die Schule gehen.
Ich kann heute nicht in die Schule gehen.

| | |
|---|---|
| ich | kann |
| du | kannst |
| er/sie | kann |
| wir | können |
| ihr | könnt |
| sie/Sie | können |

CD 2 44

## A2 Hören Sie und variieren Sie.

● Ich bin krank.
Ich kann nicht einkaufen.
Hannes, kannst du im Supermarkt einkaufen?

▲ Ja, kein Problem.

*Varianten:*
(nicht) kochen
(nicht) mit Jonas zum Arzt gehen
Anna (nicht) in den Kindergarten bringen
Jonas' Lehrer (nicht) anrufen

Ich kann nicht einkaufen.
Kannst du im Supermarkt einkaufen?

## A3 Wer kann was? Machen Sie in kleinen Gruppen eine Liste. Fragen Sie und antworten Sie.

| | sehr gut | gut | nicht so gut | gar nicht |
|---|---|---|---|---|
| Fußball spielen | Maria, Alex | Anna | Jana | |
| singen | Anna | Alex | Jana | Maria |
| reiten | Maria | Jana | Anna | Alex |
| kochen | | | | |
| jonglieren | | | | |
| einen Handstand machen | | | | |

*Können Sie / Kannst du Fußball spielen? Ja, (sehr) gut.*
*Nein, nicht so gut.*

## A4 Im Kurs: Sprechen Sie über Ihre Gruppe.

Alex kann sehr gut Fußball spielen.
Aber er kann nicht reiten. Er kann …

## B1 Ordnen Sie die Sätze den Bildern zu.

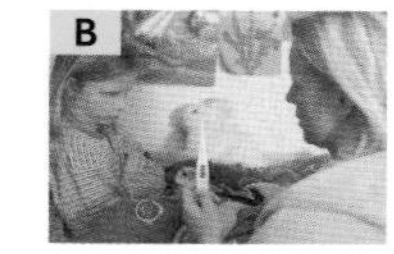

| | |
|---|---|
| ich | will |
| du | willst |
| er/es/sie | will |
| wir | wollen |
| ihr | wollt |
| sie/Sie | wollen |

- ☐ Warum willst du Frau Müller anrufen?
- ☐ Dann lernen wir beim Frühstück noch ein bisschen, ja? Wollen wir das so machen?
- ☐ Ich will aber nicht in die Schule gehen.

## B2 Was meinen Sie? Wer will was machen? Lesen Sie und sprechen Sie dann.

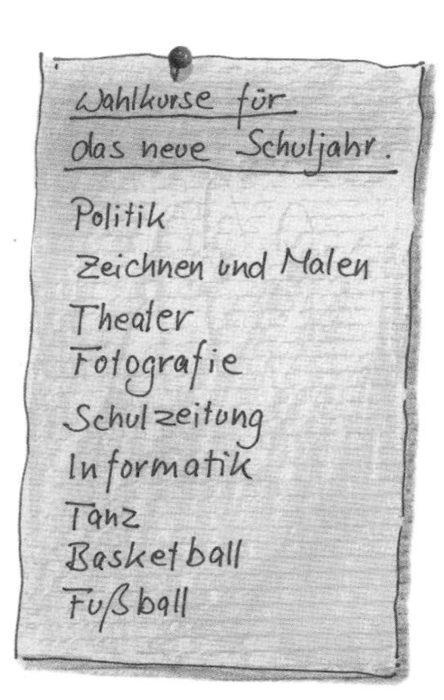


- ● Charlotte, Jana und Birthe wollen sicher den Wahlkurs „Basketball" besuchen.
- ▲ Nein, Birthe will sicher den Wahlkurs „Tanz" besuchen.
- ● Ja, stimmt, und ...

## B3 Spiel: Lebende Sätze

Charlotte und Jana [wollen] den Wahlkurs „Basketball" [besuchen].

**a** Schreiben Sie Sätze mit *können* und *wollen*. Machen Sie Kärtchen.

**b** Suchen Sie Ihre Partner. Bilden Sie Sätze.

# Du **hast** gestern nichts **gelernt.**

CD 2 45

## C1 Hören Sie und ergänzen Sie.

gelernt • ~~geschlafen~~ • gesehen • geschrieben

Na, wie hast du ......*geschlafen*...... ?

Hast du den Zettel mit der Telefonnummer ........................................ ?

Du hast kein Fieber. Du hast gestern nichts ........................................ !

Habt ihr das Diktat ........................................ ?

März 12 Montag
heute

März 11 Sonntag
gestern

## C2 Ordnen Sie zu.

A 

B 

C 

D 

er **hat** gelernt
er **hat** geschrieben

- *D* Der Junge **hat** Englisch **gelernt**.
- ☐ Der Junge lernt Englisch.
- ☐ Das Mädchen schreibt einen Brief.
- ☐ Das Mädchen **hat** einen Brief **geschrieben**.

## C3 Ordnen Sie zu.

| | |
|---|---|
| ich habe | gearbeitet |
| du hast | gelesen |
| er/es/sie hat | gegessen |
| wir haben | gesprochen |
| ihr habt | gehört |
| sie/Sie haben | gemacht |

## C4 Fragen Sie und antworten Sie.

● Und, was habt ihr gestern im Unterricht gemacht?
▲ Wir haben ein Diktat geschrieben und den Akkusativ gelernt.

Lieder hören • Übungen machen • einen Brief schreiben • Texte lesen • Grammatik lernen • ein Spiel machen • viel sprechen • ...

| | | | |
|---|---|---|---|
| Was | **habt** | ihr im Unterricht | **gemacht?** |
| Wir | **haben** | ein Diktat | **geschrieben.** |

## C5 Welche Sätze sind falsch?

**a** Schreiben Sie vier Sätze.
Zwei Aussagen sind richtig, zwei Aussagen sind falsch.

*Ich habe Russisch gelernt.*
*Ich habe ein Jahr in Afrika gearbeitet.*
*Ich habe früher nur Hardrock gehört.*
*Ich habe gestern keine Hausaufgaben gemacht.*

**b** Lesen Sie die Sätze Ihrer Partnerin / Ihres Partners.
Was glauben Sie? Welche Aussagen sind falsch? Fragen Sie und antworten Sie.

● Ich glaube, du hast nicht Russisch gelernt.
▲ Doch, das stimmt! Ich habe Russisch gelernt.

● Aber du hast nicht ein Jahr in Afrika gearbeitet.
▲ Genau, das ist falsch.

46 **D1** **Was hat Sara gestern gemacht? Hören Sie und ordnen Sie die Bilder.**

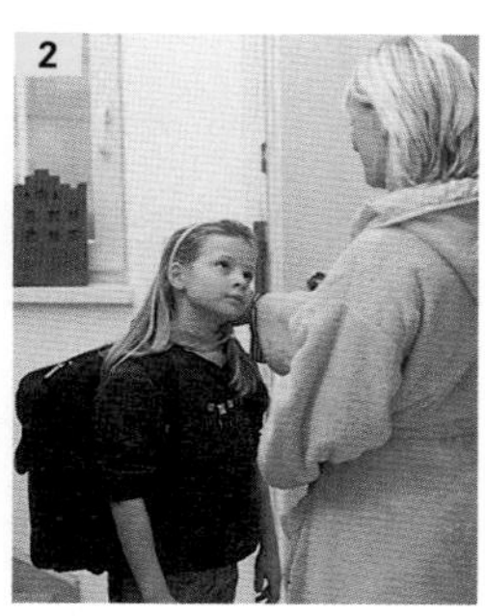

| Foto | 2 | | | |
|---|---|---|---|---|

**D2** **Was passt? Ordnen Sie die Sätze den Fotos aus D1 zu.**

**a** Danach bin ich mit Mama in den Supermarkt gefahren.

**b** Am Morgen bin ich in die Schule gegangen.

**c** Am Nachmittag bin ich mit Niko spazieren gegangen.

**d** Dann ist Katja gekommen.

| Foto | 1 | 2 | 3 | 4 |
|---|---|---|---|---|
| Satz | *c* | | | |

| | | | |
|---|---|---|---|
| Ich | bin | in die Schule | gegangen. |
| Ich | bin | mit Mama in den Supermarkt | gefahren. |
| Katja | ist | | gekommen. |

47 **D3** **Hören Sie und variieren Sie.**

● Klaus, was machst du am Wochenende? Wollen wir zusammen Fahrrad fahren?

▲ Nein, ich bin gestern schon Fahrrad gefahren.

● Schade!

*Varianten:*
Fußball spielen • spazieren gehen • zusammen Spanisch lernen • tanzen gehen • Pizza essen • zu Lisa fahren

am Samstag + am Sonntag
= am Wochenende

**D4** **Partnerinterview: Schreiben Sie zehn Fragen. Sprechen Sie mit Ihrer Partnerin / Ihrem Partner.**

*Bist du schon einmal 60 Kilometer Fahrrad gefahren?*
*Hast du schon einmal eine Currywurst gegessen?*
*Hast du schon einmal Salsa getanzt?*
*Hast du schon einmal gegrillt?*

**Schon fertig?**
Was haben Sie am Wochenende gemacht? Schreiben Sie.

# Kommunikation mit der Schule

## E1 Welche Wörter kennen Sie? Lesen Sie und markieren Sie.

**Liebe Eltern der Klasse 3c,**

am Freitag, 25.05., möchte ich mit der Klasse einen Ausflug machen. Ich möchte mit den Kindern zum Spadener See fahren.
Das Besondere: Wir wollen nicht mit dem Bus fahren. Die 3c fährt diesmal Fahrrad! Die Kinder können dann im See schwimmen. Wir wollen auch ein Picknick machen und grillen. Hoffentlich regnet es nicht!

Mit freundlichen Grüßen
**Ole Meiners**
Klassenlehrer der 3c

Bitte füllen Sie den folgenden Abschnitt aus.

Mein Sohn / Meine Tochter

..........................................

☐ **nimmt teil.**
- ☐ kann Fahrrad fahren.
- ☐ kann schwimmen.
- ☐ kann nicht schwimmen.

☐ **nimmt nicht teil.**

## E2 Was ist richtig? Kreuzen Sie an.

Der Lehrer will mit den Kindern

☐ einen Ausflug machen. ☐ mit dem Fahrrad fahren.
☐ mit dem Bus fahren. ☐ ins Schwimmbad gehen.

## E3 Hören Sie und kreuzen Sie an.

CD 2 48

| | | richtig | falsch |
|---|---|---|---|
| a | Frau Kerner ist die Mutter von Sebastian. | ☐ | ☐ |
| b | Sebastian kommt mit zum Spadener See. | ☐ | ☐ |
| c | Sebastian ist krank. | ☐ | ☐ |

## E4 Rollenspiel: Spielen Sie Gespräche.

| Ihr Kind ist krank. Es kann nicht in die Schule gehen. Sie rufen in der Schule an. | Sie sind krank. Sie können nicht zum Deutschkurs kommen. Sie rufen in Ihrer Sprachschule an. | Ihr Kind ist krank. Sie können nicht zum Deutschunterricht kommen. Sie rufen in Ihrer Sprachschule an. |
|---|---|---|

● ... Schule, Sekretariat.

▲ Guten Morgen. Mein Name ist ...
Ich bin die Mutter / der Vater von ...
Mein Sohn / Meine Tochter geht in die Klasse ...
Er/Sie kann heute nicht zur Schule kommen.
Er/Sie ist krank.
Ich kann heute nicht zum Deutschkurs / zum Unterricht kommen.
Ich bin krank. / Mein Kind ist krank.
Ich gehe zum Arzt.

● Oh, das tut mir leid.
Ich sage es der Lehrerin / dem Lehrer.
Gute Besserung!

## Grammatik

**1 Modalverben: *können* und *wollen***

| | können | wollen |
|---|---|---|
| ich | kann | will |
| du | kannst | willst |
| er/es/sie | kann | will |
| wir | können | wollen |
| ihr | könnt | wollt |
| sie/Sie | können | wollen |

ÜG, 5.09, 5.10

**2 Modalverben im Satz**

| | Position 2 | | Ende |
|---|---|---|---|
| Er | kann | heute nicht in die Schule | kommen. |
| Wir | wollen | am Samstag Fußball | spielen. |

ÜG, 10.02

**3 Perfekt mit *haben***

| | | *haben + ge...t* |
|---|---|---|
| lernen | er lernt | er hat gelernt |
| machen | er macht | er hat gemacht |
| arbeiten | er arbeitet | er hat gearbeitet |
| kaufen | er kauft | er hat gekauft |

ÜG, 5.03

| | | *haben + ge...en* |
|---|---|---|
| schlafen | er schläft | er hat geschlafen |
| lesen | er liest | er hat gelesen |
| essen | er isst | er hat gegessen |
| schreiben | er schreibt | er hat geschrieben |

ÜG, 5.03

**4 Perfekt mit *sein***

| | | *sein + ge...en* (• → •) |
|---|---|---|
| gehen | er geht | er ist gegangen |
| fahren | er fährt | er ist gefahren |
| spazieren gehen | er geht spazieren | er ist spazieren gegangen |
| kommen | er kommt | er ist gekommen |

ÜG, 5.04

**5 Das Perfekt im Satz**

| | Position 2 | | Ende |
|---|---|---|---|
| Sie | hat | gestern nicht | gelernt. |
| Ich | habe | Zeitung | gelesen. |
| Er | ist | mit Susanna spazieren | gegangen. |

ÜG, 10.02

## Wichtige Wendungen

**sich/jemanden entschuldigen**

Ich bin krank.
Mein Kind / Mein Sohn / Meine Tochter ist krank.
Ich/Er/Sie kann heute nicht kommen.
Ich gehe zum Arzt.

Oh, das tut mir leid.
Ich sage es der Lehrerin / dem Lehrer.
Gute Besserung.

**Fähigkeit: Ich kann ...**

Ich kann (nicht) gut Fußball spielen.
Kannst du Englisch?

**Strategien**

Nein, jetzt nicht! • Das geht nicht! • Schade! • Kein Problem! • So so.

**Starker Wunsch: Ich will ...**

Wir wollen ins Schwimmbad gehen.

**Vorschlag: Wollen wir ...**

Wollen wir Fahrrad fahren?

## Ui!

„Na, so was!?“
„Super!“
„Na, guck mal!“
„Das ist ja toll!“

## Brr!

„Mir ist (sehr) kalt!“
„Hier ist es (sehr) kalt!“

## Oje!

„Das tut mir leid!“
„Das ist aber gar nicht schön!“
„Das ist sehr schade!“

## Hey!

„Achtung!“
„Vorsicht!“
„Hör mal!“
„Was ist denn jetzt los?!“
„Moment mal!“

## Oh-oh!

„Achtung!“
„Das geht nicht gut!“
„Da stimmt etwas nicht!“
„Da habe ich wohl was falsch gemacht?!“
„Da hast du wohl was falsch gemacht?!“

## Hopp!

„Na los!“
„Mach jetzt mal!“
„Schnell jetzt!“
„Nicht so langsam, bitte!“

49-59

**Hören Sie die Gespräche.**
Arbeiten Sie dann mit einer Partnerin / einem Partner:
Suchen Sie drei Ausrufe aus und schreiben Sie selbst solche Gespräche.
Spielen Sie Ihre Gespräche im Kurs vor.

### *Hören*

| | Das kann ich sehr gut. | Das kann ich. | Das übe ich noch. |
|---|---|---|---|
| Ich kann Begrüßungen und Abschiedsgrüße verstehen: *Hallo! Guten Tag. Auf Wiedersehen. ...* | | | |
| Ich kann verstehen, wenn jemand sich vorstellt: *Ich heiße ... / Mein Name ist ... / Ich bin ...* | | | |
| Ich kann Fragen zu meiner Person verstehen: *Wie heißen Sie? Woher kommen Sie? Wo sind Sie geboren? Wie ist Ihre Adresse? Wie ist Ihre Telefonnummer? Sind Sie verheiratet? Haben Sie Kinder?* | | | |
| Ich kann Preise von Lebensmitteln verstehen: *Ein Kilo Tomaten kostet 1,99 €.* | | | |
| Ich kann Mengenangaben von Lebensmitteln verstehen: *Wie viel möchten Sie? – Ein Kilo. 100 Gramm Käse kosten ...* | | | |
| Ich kann die Uhrzeit verstehen: *Es ist neun Uhr. / Es ist gleich halb sieben.* | | | |
| Ich kann Öffnungszeiten auf dem Anrufbeantworter verstehen: *Sie erreichen uns von Montag bis Mittwoch von 8 bis 16 Uhr ...* | | | |
| Ich kann den Wetterbericht im Radio verstehen: *Weiden: Bewölkt bei 10 Grad, Hof ebenfalls bewölkt, 11 Grad, und Passau Regen, 9 Grad.* | | | |

### *Lesen*

| | Das kann ich sehr gut. | Das kann ich. | Das übe ich noch. |
|---|---|---|---|
| Ich kann eine Visitenkarte verstehen: Name, Adresse, Telefonnummer | | | |
| Ich kann Anzeigen von Supermärkten verstehen: Namen der Lebensmittel, Preise, Menge | | | |
| Ich kann Wohnungs- und Verkaufsanzeigen in der Zeitung verstehen: Mietpreise, Quadratmeter, wie viele Zimmer | | | |
| Ich kann Schilder mit Öffnungszeiten verstehen: *Sprechstunde: Montag bis Donnerstag, 8.30 bis 16.30 Uhr.* | | | |
| Ich kann das Fernsehprogramm verstehen: Wann beginnt ein Film, das Sportstudio ... | | | |
| Ich kann Kontaktanzeigen verstehen: *Brieffreunde gesucht! ... Bitte schreibt mir.* | | | |
| Ich kann den Wetterbericht in der Zeitung oder im Internet verstehen: *Im Norden und Westen scheint schon heute die Sonne, im Süden und Osten regnet es noch. ...* | | | |
| Ich kann einen Brief an die Eltern verstehen: *Liebe Eltern der Klasse 6c, ...* | | | |

### *Sprechen*

| | Das kann ich sehr gut. | Das kann ich. | Das übe ich noch. |
|---|---|---|---|
| Ich kann jemanden begrüßen und mich verabschieden: *Hallo! Guten Tag. Auf Wiedersehen.* | | | |
| Ich kann mich mit Namen vorstellen: *Mein Name ist ... / Ich heiße ... / Ich bin ...* | | | |
| Ich kann meine Familie und meine Freunde vorstellen: *Das ist mein ... / Das ist meine ...* | | | |
| Ich kann sagen, woher ich komme und wo ich wohne: *Ich komme aus ...; Ich wohne/ lebe in ...* | | | |
| Ich kann andere fragen, wie sie heißen, woher sie kommen, wo sie wohnen: *Wie heißen Sie? Woher kommen Sie? Wie ist Ihre Adresse?* | | | |
| Ich kann am Telefon nach jemandem fragen: *Ist Frau Söll da, bitte?* | | | |

| | Das kann ich sehr gut. | Das kann ich. | Das übe ich noch. |
|---|---|---|---|
| Ich kann sagen, wie es mir geht und andere fragen: *Wie geht es Ihnen? – Danke, gut.* | | | |
| Ich kann ein Wort erklären oder nach einer Erklärung fragen: *Was ist das? – Das ist eine Tomate.; Wie heißt das auf Deutsch? – Apfel.* | | | |
| Ich kann Preise und Mengen nennen: *100 Gramm Käse kosten 1,10 €. Vier Flaschen kosten nur 7,10 €.* | | | |
| Ich kann in einem Lebensmittelgeschäft sagen, was ich möchte: *Ich brauche / möchte / hätte gern ...* | | | |
| Ich kann eine Wohnung oder ein Haus beschreiben: *Die Küche ist hier. Das Bad ist dort. Das Haus ist billig. ...* | | | |
| Ich kann sagen, wie mir etwas gefällt: *Wie gefällt Ihnen die Wohnung? – Sehr gut.* | | | |
| Ich kann zählen: *eins, zwei, drei, ... eine Million* | | | |
| Ich kann nach einem Ort fragen und einen Ort nennen: *Wo ist das Bad? – Hier./Dort.* | | | |
| Ich kann die Uhrzeit nennen und danach fragen: *Wie viel Uhr ist es? – Es ist neun Uhr.* | | | |
| Ich kann über meinen Tag sprechen: *Ich stehe jeden Morgen um sieben Uhr auf. Um halb acht frühstücke ich ...* | | | |
| Ich kann sagen, was ich gern / nicht gern mache: *Ich koche gern. Ich arbeite nicht gern.* | | | |
| Ich kann über das Wetter und die Jahreszeiten sprechen: *Das Wetter ist schön. Die Sonne scheint. Im Sommer haben wir circa 25 Grad.* | | | |
| Ich kann zustimmen, widersprechen und verneinen: *Ja. Doch. Nein.* | | | |
| Ich kann über meine Freizeit und meine Hobbys sprechen und andere nach ihren Hobbys fragen: *Was sind deine Hobbys? – Ich mache gern Sport. / Meine Hobbys sind ...* | | | |
| Ich kann sagen, was ich vorhabe oder möchte: *Ich will ins Schwimmbad gehen.* | | | |
| Ich kann über gestern und die letzten Tage sprechen: *Gestern habe ich bis 11 Uhr geschlafen. Dann habe ich Deutsch gelernt.* | | | |
| Ich kann Vorschläge machen und Vorschlägen zustimmen oder sie ablehnen: *Wollen wir zusammen Fahrrad fahren? – Ja, gern. / Nein.* | | | |
| Ich kann mich und andere wegen Krankheit entschuldigen: *Ich kann heute nicht kommen. Ich bin krank.* | | | |

### *Schreiben*

| | Das kann ich sehr gut. | Das kann ich. | Das übe ich noch. |
|---|---|---|---|
| Ich kann persönliche Angaben in ein Formular eintragen: Name, Wohnort, Adresse, Geburtsdatum ... | | | |
| Ich kann eine Kontaktanzeige schreiben: *Hallo! Ich heiße ... Ich suche Brieffreunde ...* | | | |
| Ich kann eine einfache Postkarte aus dem Urlaub schreiben: *Hallo ..., wir sind in Griechenland. Das Wetter ist sehr gut ...* | | | |
| Ich kann einen Entschuldigungsbrief schreiben: *Liebe Frau ... Ich kann am Montag nicht zum Unterricht kommen. Ich bin krank. Viele Grüße, ...* | | | |

## **Inhalt** Arbeitsbuch

# Guten Tag. – Hallo!

A2 Phonetik CD3 02

## 1 Was hören Sie? Kreuzen Sie an.

Guten Tag! ☐ Tschüs! ☒ Morgen! ☐ Tag! ☐ Guten Morgen! ☐ Hallo! ☐
Danke! ☐ Gute Nacht! ☐ Nacht! ☐ Guten Abend! ☐ Auf Wiedersehen! ☐

A2 Phonetik CD3 03

## 2 Hören Sie und sprechen Sie nach.

| | | | |
|---|---|---|---|
| Tag! | Guten Tag! | Morgen! | Guten Morgen! |
| Abend! | Guten Abend! | Guten Abend meine Damen und Herren. | |
| Nacht! | Gute Nacht! | Wiedersehen! | Auf Wiedersehen! |
| Frau Schröder | Guten Morgen Frau Schröder! | Felix | Auf Wiedersehen Felix! |

A2

## 3 Ergänzen Sie.

~~Tag~~ • Morgen • Abend • ~~Hallo~~ • Auf Wiedersehen • Gute Nacht • Morgen • Tag • Abend • ~~Tschüs~~

| | | | | |
|---|---|---|---|---|
| 06.00 | | .................... | | |
| 09.00 | | .................... | | |
| 13.00 | Guten | *Tag* | *Hallo* | .................... |
| 15.30 | | .................... | | *Tschüs* |
| 19.00 | | .................... | | |
| 23.45 | | .................... | | .................... |

A2

## 4 Was sagen die Personen?

a *Hallo!* ....................

b .................... ....................

c .................... ....................

d .................... ....................

e .................... ....................

Phonetik 04

## 5 Hören Sie und sprechen Sie nach. Achten Sie auf die Satzmelodie ↘ ↗.

**a**
- ● Entschuldigung. ↘ Wie heißen Sie? ↘
- ■ Ich heiße Eva Baumann. ↘ Und wie heißen Sie? ↗
- ● Ich heiße Angelika Moser. ↘

**b**
- ▲ Entschuldigung. ↘ Wer sind Sie? ↗
- ◆ Ich bin Anna Lienert. ↘
- ▲ Guten Abend, Frau Lienert. ↘

Phonetik 05

## 6 Hören Sie und sprechen Sie nach. Achten Sie auf die Betonung ⁄.

- ● Guten Tág. Ich bin Mariétta.
- ■ Entschúldigung, wíe heißen Sie?
- ● Marietta Ádler.
- ■ Hérzlich willkómmen, Mariétta.

## 7 Was sagen die Personen?

~~Ich bin Andrea Weber~~. ● Ich heiße Petra Kaiser. ● Herr Wiese, das ist meine Kollegin Frau Weiß. ● Und wie heißen Sie? ● Entschuldigung, wie heißen Sie? ● Guten Abend, Frau Weiß.

**a**
- ◆ *Ich bin Andrea Weber.* ......................................
  ......................................
- ■ ......................................

**b**
- ▲ Ich heiße Akello Keki.
- ● ......................................
- ▲ Akello Keki.
- ● Aha.

**c**
- ■ ......................................
  ......................................
- ▲ ......................................
- ● Guten Abend.

B4

## 8 Ordnen Sie zu und schreiben Sie.

a Ich bin — Sie? — *Ich bin Lena.*
b Wie heißen — ist Frau Hummel. — ...
c Ich — ist das? — ...
d Das — heißen Sie? — ...
e Wie — Lena. — ...
f Wer — heiße Lukas. — ...

B4

## 9 Ergänzen Sie die Wörter und Satzzeichen (?/.).

wie • wer • Das ist • ~~bin~~ • ist • ist • heiße • heiße • sind • Herr

a
◆ Ich *bin* ....... Andreas Zilinski .
■ Entschuldigung, ................. heißen Sie
◆ Andreas Zilinski, und das ............. Frau Kunz

b
◆ Wer ............... das
■ ................................ Felix

c
◆ Ich ................................ Laura Weber
Und wer ........................ Sie
■ Ich ........................ Michaela Schubert

d
◆ Das ist ................................ Hoffmann
■ Und ........................ ist das
◆ Frau Kunz

B4

## 10 Ordnen Sie und ergänzen Sie die Satzzeichen (?/.).

a heißen – wie – Sie – Und ..........
b ist – Wer – Frau Bauer ..........
c willkommen – Frau Frei – Herzlich ..........
d Frau Kaufmann – Das – ist ..........
e ist – Und – das – wer ..........

B4

## 11 Ergänzen Sie.

a
◆ Hallo, ich *bin* ............ Fred.
■ Und *wer ist* ............
◆ Das ist Michael.

b
◆ Ich bin Oskar Schneider.
■ *Entschuldigung,* ............
............
◆ ............ Oskar Schneider.

c
◆ ............ ist das?
■ ............ Frau Karadeniz.

d
◆ Wer ist Lukas Grossmann?
■ ............

)6

## 12 Was hören Sie? Kreuzen Sie an.

| | Karim | Heidi | Jan |
|---|---|---|---|
| Deutschland | | x | |
| Polen | | | |
| Iran | | | |
| Köln | | | |
| Berlin | | | |
| Teheran | | | |
| Frankfurt | | | |

| | Karim | Heidi | Jan |
|---|---|---|---|
| Deutsch | | | |
| Russisch | | | |
| Persisch | | | |
| Englisch | | | |
| Arabisch | | | |
| Polnisch | | | |

## 13 Ergänzen Sie.

Woher kommst du? • ~~Mein Name ist~~ • Ich heiße • Ich bin • Woher kommen Sie? • Wie heißen Sie? • Ich komme • Was sprechen Sie? • Was sprichst du? • Und wer bist du?

**a**
- ● Guten Tag! *Mein Name ist*......... Schneider.
- ■ Entschuldigung. ..........................................
- ..........................................
- ● Schneider. Bruno Schneider.
- ■ ..........................................
- ● Aus Deutschland.
- ■ ..........................................
- ● Deutsch und Italienisch.

**b**
- ● Ich bin Ali. ..........................................
- ■ Ich bin Selma.

**c**
- ● .......................................... Anna. Und wie heißt du?
- ■ .......................................... Habib. Ich komme aus Algerien. ..........................................
- ..........................................
- ● .......................................... aus Österreich.
- ..........................................
- ■ Ich spreche Arabisch und Französisch.

## 14 Ergänzen Sie.

mmatik
decken

| ich | komme.... | sprech...... | heiß...... | bin |
|---|---|---|---|---|
| du | komm......... | ............i............ | ....................ßt.. | ......................... |
| Sie | komm......... | ......................... | ......................... | ......................... |

# 1 C Ich komme aus der Ukraine.

C5

## 15 Was passt? Unterstreichen Sie.

a Ich heißen / heißt / heiße Maria. (heiße – handwritten underline)

b Ich kommst / komme / kommen aus Kroatien.

c Was spreche / sprechen / sprichst Sie?

d Wie heiße / heißt / heißen du?

e Und wer ist / bist / sind Sie?

f Ich spreche / sprechen / sprichst Englisch.

g Woher kommst / komme / kommen Sie?

h Ich ist / bin / bist Angelika.

i Was spreche / sprichst / sprechen du?

C5

## 16 Ergänzen Sie in der richtigen Form: *sprechen – kommen – heißen.*

a Ich .*spreche*......... ein bisschen Deutsch.

b Ich ........................... aus Berlin.

c Was ........................... Sie?

d Du ........................... Serbisch.

e Woher ........................... Sie?

f Wie ........................... Sie?

g Woher ........................... du?

h Wie ........................... du?

i Sie ........................... gut Deutsch.

C5

## 17 Ergänzen Sie *du* oder *Sie*.

A

B

C

D

E

F

## 18 Welche Namen hören Sie? Schreiben Sie.



1 A n n a
2 ___
3 ___
4 ___
5 ___
6 ___
7 ___
8 ___
9 ___
10 ___

## 19 Wie spricht man das? Hören Sie und sprechen Sie nach.

Phonetik 08

| | | | | |
|---|---|---|---|---|
| ei | Türkei | Ich heiße Einstein. | Tut mir leid. | Schreiben Sie. |
| eu | Europa | Deutschland | Du sprichst gut Deutsch. | Danke, freut mich. |
| au | Frau Maurer. | Ich heiße Maurer. | Ich heiße Laura und bin aus Augsburg. | |

## 20 Ergänzen Sie: *Tut mir leid. – Entschuldigung.*

**a** ● Guten Tag, Frau Schneider. Ist Laura da?
■ Nein. ……
……

**b** ● Rosenstraße 18A, bitte.
■ ……
……
Ich weiß es nicht.

**c** ● ……
……

**d** ● Sprechen Sie Russisch?
■ Nein.
……
……

**e** ● Mein Name ist Hubert Hubschmer.
■ ……
……
Wie ist Ihr Name?
● Hubert Hubschmer.

## 21 Was schreibt man groß? Korrigieren Sie.

**a** ● mein name ist anita. und wie heißt du? (M, N)
■ ich heiße andreas.
● woher kommst du?
■ aus österreich.

**b** ● guten tag. wie ist ihr name, bitte?
■ mein name ist lukas bürgelin.
● woher kommen sie?
■ ich komme aus der schweiz.

## 22 Markieren Sie die Wörter. Schreiben Sie die Sätze.

**a** ich|heißesaraundichsprechedeutsch Ich……
**b** dasistschnuffiunddasistpoppel ……
**c** unddasistnikolajausderukraine ……
**d** ichbinbrunoichkommeausdeutschland ……

D5

## 23 Finden Sie Sätze. Schreiben Sie noch fünf Sätze.

gunicgutentagandmeinnameistzilinskikomsdeentschuldigung,wieistihrnamecl
arfilesopistherrschneiderdabotrasemichbuchstabiere:zilinskiwaboteranhagicz-
rtutmirleidherrschneideristnichtdaklumendankeaufwiederhörenatmeni

*Guten Tag. Mein Name ist Zilinski.* ...............

...............

...............

...............

**Ordnen Sie die Sätze. Schreiben Sie ein Gespräch.**

● *Guten Tag. Mein ...*
▲ ...

D5 Schreibtraining

## 24 Das bin ich. Schreiben Sie Ihren Text.

*Ich heiße Samira Rochdi. Ich komme aus Casablanca. Das ist in Marokko. Jetzt bin ich in Deutschland, in Freiburg.*
*Ich spreche Arabisch, Französisch und Deutsch.*

*Ich heiße ...*

D5

## 25 Schreiben Sie ein Lerntagebuch. Notieren Sie auch in Ihrer Sprache.

LERNTAGEBUCH

| | | **Ich** | | **Und Sie? / Und du?** | |
|---|---|---|---|---|---|
| | | Ich heiße ... | ... | Wie heißen Sie / | ... |
| | | Ich bin ... | ... | heißt du? | ... |
| Guten Tag. | ... | Mein Name ist ... | ... | Woher kommen Sie / | ... |
| Hallo. | ... | Ich komme aus ... | ... | kommst du? | ... |
| Guten Abend. | ... | Ich spreche ... | ... | Was sprechen Sie / | ... |
| ... | | ... | | sprichst du? | ... |
| | | | | ... | |

*ich ...e*
*du ...st* *du kommst* *du heißt* ⚠
*Sie ...en*
...

Portfolio

## 26 Ein Brief

**a** Ordnen Sie zu.

Familienname • Wohnort • ~~Vorname~~ • Straße • Postleitzahl • Hausnummer

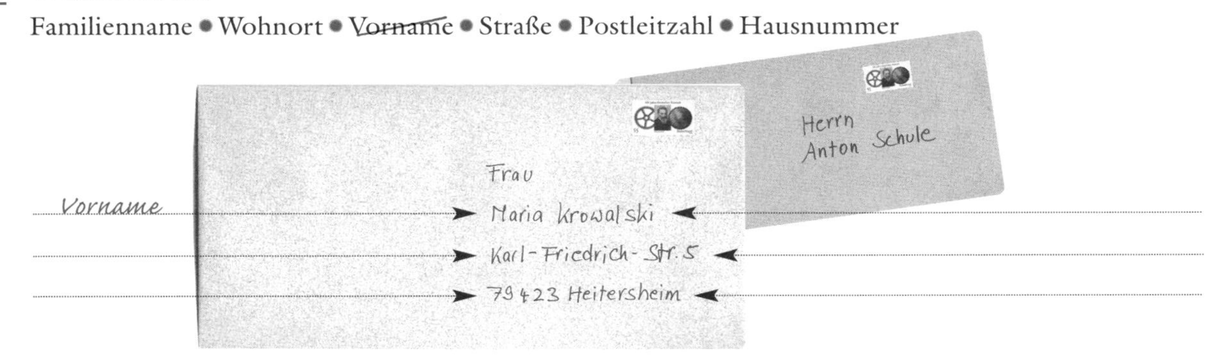


**b** Schreiben Sie die Adresse auf den Briefumschlag.

Herrn • Wilhelmstr. • Obermeier • Berlin • 5 • Max • 13595

Projekt

## 27 Suchen Sie die Postleitzahl.

| Straße | PLZ |
|---|---|
| Paulinauer Str. | 12683 |
| Paulinenstr. | 12205 |
| Paul-Junius-Str. | |
| 1 – 21 | 10367 |
| 22 – 64, 29 – 75 | 10369 |
| Paul-König-Str. | 13053 |
| Paul-Krause-Str. | 14129 |
| Paul-Lincke-Ufer | 10999 |
| Paul-Löbe-Str. | 10557 |
| Paul-Oestreich-Str. | 13086 |
| Paul-Robeson-Str. | 10439 |
| Paulsborn | 14193 |
| Paulsborner Str. | |
| 1 – 27 a, 2 – 26, 70 – Ende, 71 – Ende | 10709 |
| 28 – 66, 29 – 67 | 14193 |
| Paul-Schmidt-Str. | 12105 |
| Paul-Schneider-Str. | 12247 |
| Paul-Schwenk-Str. | 12685 |
| Paulsenstr. | 12163 |
| Paulsfelde | 13585 |
| Paulstern | 13599 |
| Paulsternstr. | |
| 1 – 35 | 13599 |
| 2 – 36 | 13629 |
| Paulstr. | 10557 |
| *Paulus-Str., Apostel-* | |
| *1 – 9, 2 – 10, 25 – Ende, 26 – Ende* | *10823* |

| Straße | PLZ |
|---|---|
| Pfälzische Str. | 13593 |
| Pfändnerweg | 14089 |
| Pfahlerstr. | 13403 |
| Pfalzburger Str. | |
| 2 – 24, 3 – 25, 60 a – Ende, 61 – Ende | 10719 |
| 26 – 60, 27 – 59 | 10717 |
| Pfalzgrafenweg | 12623 |
| *Pfarracker, Am* | *12209* |
| Pfarrer-Heß-Weg | 12355 |
| Pfarrer-Lenzel-Str. | 13156 |
| *Pfarrhof, Beim* | *13591* |
| Pfarrlandstr. | 14165 |
| Pfarrsiedlung | 12355 |
| Pfarrstr. | 10317 |
| Pfarrwöhrde | 12524 |
| Pfaueninsel | 14109 |
| Pfauenkehre | 12355 |
| Pfeddersheimer Weg | 14129 |
| Pfefferluch | 13627 |
| Pfefferweg | 13589 |
| Pfeiffergasse | 12587 |
| Pfeilstr. | 13156 |
| Pferdemarkt | 13627 |
| Pfifferlingweg | 13403 |
| *Pfingstberg, Am* | |
| *1 – 23, 2 – 24* | *13467* |
| *25 – Ende, 26 – Ende* | *13465* |

Kurfürstendamm 12

........................ Berlin

Albert-Einstein-Str. 3

........................ Frankfurt a. Main

Rosenheimer Str. 138

.................... München

Theaterstr. 2

........................ Dresden

## Begrüßung und Abschied

| | |
|---|---|
| Hallo. ............ | Guten Abend, meine Damen und Herren. ............ |
| Guten Morgen. ............ | (Auf) Wiedersehen. ............ |
| Guten Tag. ............ | (Gute) Nacht. ............ |
| Freut mich. ............ | Tschüs. ............ |
| Guten Abend. ............ | |
| Willkommen ............ | |

## Name

| | |
|---|---|
| Name (der, -n) ............ | Wer ...? ............ |
| heißen, du heißt ............ | Das ist ... ............ |
| Wie ...? ............ | Ich bin / Ich heiße ... ............ |

## Herkunft

| | |
|---|---|
| kommen aus ... ............ | Woher ...? ............ |
| aus ... ............ | |

## Sprache

| | |
|---|---|
| Fremdsprache (die, -n) ............ | sprechen, (du sprichst) ............ |
| Sprache (die, -n) ............ | gut ............ |
| | ein bisschen ............ |
| | Deutsch ............ |

## Personalien

| | |
|---|---|
| Herr (der, -en) ............ | Straße (die, -n) ............ |
| Frau (die, -en) ............ | Hausnummer (die, -n) ............ |
| Vorname (der, -n) ............ | Stadt (die, ¨-e) ............ |
| Familienname (der, -n) ............ | Postleitzahl (die, -en) ............ |
| Adresse (die, -n) ............ | Land (das, ¨-er) ............ |

## Entschuldigung

| | |
|---|---|
| Entschuldigung (die, -en) ............ | leid tun ............ |
| | Tut mir leid. ............ |

## Bitten und danken

| | |
|---|---|
| bitte ............ | danke ............ |
| | Vielen Dank ............ |

## Am Telefon

Gespräch (das, -e) ..................
Moment (der, -e) ..................
Einen Moment, bitte. ..................
Telefon (das, -e) ..................

(Auf) Wiederhören ..................

buchstabieren ..................
(nicht) da sein ..................
Ist ... da? ..................

## Kurssprache

Beispiel (das, -e) ..................
Buchstabe (der, -n) ..................
Kurs (der, -e) ..................
Lektion (die, -en) ..................
Nummer (die, -n) ..................
Seite (die, -n) ..................
Wort (das, -e/ ¨-er) ..................

an·sehen ..................
antworten ..................
ergänzen ..................
fragen ..................
hören ..................
lesen ..................

machen ..................
markieren ..................
raten ..................
sagen ..................
schreiben ..................
sehen ..................
spielen ..................
(mit)sprechen ..................
suchen ..................
zeigen ..................
zu·ordnen ..................

noch einmal ..................

## Weitere wichtige Wörter

Alphabet (das) ..................
Anmeldung (die, -en) ..................
Bild (das, -er) ..................
Dame (die, -n) ..................
E-Mail (die, -s) ..................
Firma (die, Firmen) ..................
Formular (das, -e) ..................
Foto (das, -s) ..................
Kollegin (die, -nen) ..................
Kultur (die, -en) ..................
Lied (das, -er) ..................
Liste (die, -n) ..................
Mama (die, -s) ..................
Migration (die) ..................

Musik (die) ..................
Papa (der, -s) ..................
Spiel (das, -e) ..................
Training (das, -s) ..................
Verein (der, -e) ..................
(mit)singen ..................

international ..................
wichtig ..................
schon fertig? ..................

ja/nein ..................
jetzt ..................
nicht ..................

# Wie geht's? – Danke, sehr gut.

A2 Phonetik CD3 09

**1 Hören Sie. Markieren Sie die Betonung ⁄. Sprechen Sie nach.**

| | | |
|---|---|---|
| Wie geht es Ihnen? ↘ | Danke, gut. ↘ | Und Ihnen? ↗ |
| Wie geht es dir? ↘ | Gut, ↘ danke. ↘ | Und dir? ↗ |
| Hallo, Tina. ↘ Wie geht's ↘ ? | Ach, es geht! ↘ | Und dir? ↗ |

A2

**2 Wie geht's? Ergänzen Sie.**

angenehm

A2

**3 Ergänzen Sie.**

Wie geht es dir? • ~~Wie geht es Ihnen?~~ • Und dir? • Und Ihnen? • Es geht. • Auch gut, danke.

**a**
- ● Guten Tag, Frau Jablonski. *Wie geht es Ihnen?*
- ■ Danke, gut. Und Ihnen
- ● Auch gut danke.

**b**
- ● Hallo Tobias.
- ■ Hallo Tanja. Wie geht es dir ?
- ● Super! und dir
- ■ Auch gut Es geht

A2

**4 Schreiben Sie Gespräche.**

**a**
- ▲ *Hallo, Jana. Wie*
- ● Wie geht es dir ?
- ▲ Super, danke

**b**
- ■ *Guten Tag,* Herr Mieller
- ◆
- ■

## 5 Ergänzen Sie.

~~Schwester~~ • Vater • Sohn • Mutter • Bruder • Kinder • Tochter • ~~Eltern~~

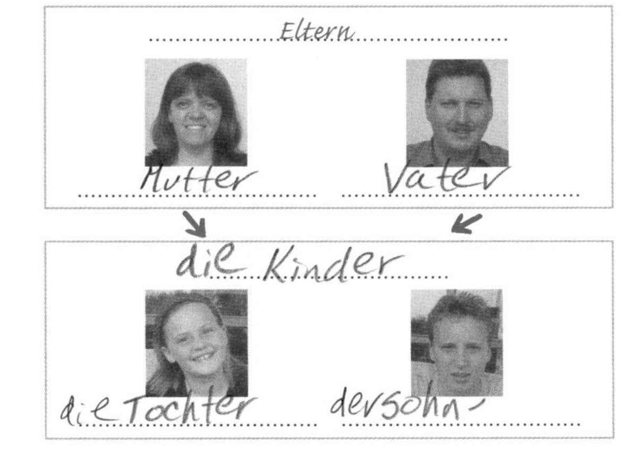

*Eltern*

Mutter ........ Vater ........

die Kinder ........

die Tochter ........ der Sohn ........

Bruder ........

*Schwester* ........

Geschwister

## 6 Ordnen Sie.

~~Großvater / Opa~~ • Eltern • Bruder • Mutter • Sohn • Schwester • ~~Großmutter / Oma~~ • Geschwister • Vater • ~~Großeltern~~ • Kinder • Tochter

| | | |
|---|---|---|
| *Großvater / Opa* | *Großmutter / Oma* | *Großeltern* |
| ... | ... | ... |

## 7 Meine Familie. Ergänzen Sie.

Enkel Kinder – grandchildren

**a** Das ist meine *Familie*........

**b** Das sind meine ........Kinder........:
mein ........Sohn........ Jonas und
meine ........Tochter........ Sandra.

**c** Das sind meine ........Geschwister........:
mein ........Bruder........ Patrick,
mein ........Bruder........ Jonas und
meine ........Schwester........ Sandra.

**d** Das sind meine ........Eltern........:
meine ........Mutter........,
und mein ........Vater.........

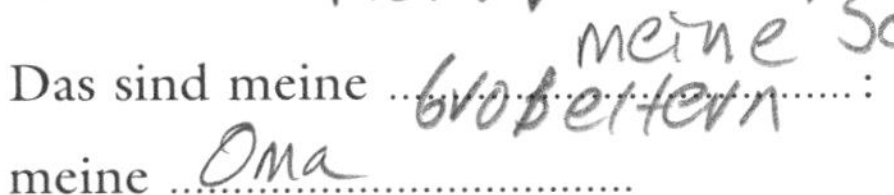

meiner Brüder meine Schwestern

**e** Das sind meine ........Großeltern........:
meine ........Oma........
und mein ........Opa.........

## 8 Markieren Sie in Übung 7 und schreiben Sie.

Grammatik entdecken

rot: meine Familie, meine ...
Das ist meine *Familie, ...*

grün: mein Sohn, mein ...
Das ist mein *Sohn, ...*

gelb: meine Kinder, meine ...
Das sind meine *Kinder, ...*

# Das ist **meine Frau.**

Freut mich – good to meet you

B3 **9** **Ergänzen Sie.**

B3 **10** **Ordnen Sie zu.**

a Das ist — meine Eltern.
b Das sind — Frau Schneider.
c Das sind — Frau Altmann und Herr König.
d Das sind — meine Tochter.
e Das ist — meine Kinder.

**Ergänzen Sie:** ***ist – sind***

Das .......... …

Das .......... …

B3 **11** **Ergänzen Sie.**

bin • ist • ist • sind • sind • sind • mein • mein • mein • meine • meine • meine • meine • meine • heißt • heißt

a Das ....ist.... ....meine.... Tochter und das ....ist.... ....mein.... Sohn.

b Das ....sind.... ....mein.... Bruder und ....meine.... Schwester.

c Das ....sind meine.... Kinder: ....mein.... Sohn ....heißt.... Lukas und ....meine.... Tochter ....heißt.... Stefanie.

d Das ....bin.... ich und das ....sind.... ....meine.... Eltern.

B3 Phonetik CD3 10 **12** **Hören Sie und sprechen Sie nach. Klopfen Sie den Rhythmus.**

Das ist meine Frau. • Das ist mein Bruder. • Das sind meine Kinder.
Das ist mein Sohn. • Das ist meine Tochter.

mmatik
decken

## 13 Wer ist das? Markieren Sie mit Pfeilen.

a Das sind Bruno und Tina, sie leben in München.
b Brunos Mutter kommt aus Italien. Jetzt lebt sie in Nürnberg.
c Und das ist Sara. Sie hat zwei Hasen, sie heißen Poppel und Schnuffi.
d Niko kommt aus der Ukraine. Er wohnt auch in München.
e Seine Mutter und sein Bruder leben nicht in Deutschland, sie leben in Kiew.

**Ergänzen Sie: *sie – er***

| | | | | | |
|---|---|---|---|---|---|
| Bruno und Tina | → | sie.......... | zwei Hasen | → | .......... |
| Brunos Mutter | → | .......... | Niko | → | .......... |
| Sara | → | .......... | Mutter und Bruder | → | .......... |

## 14 Ergänzen Sie.

Ich heiße Tanja, .......... lebe in Deutschland, .......... wohne in Bremen.
Mein Bruder heißt Florian, .......... lebt in England, .......... wohnt in London.
Meine Schwester heißt Martina, .......... lebt in Frankreich, .......... wohnt in Marseille.
Meine Eltern leben in der Schweiz, .......... wohnen in Genf.
Ja, das ist meine Familie, .......... ist international.

## 15 Schreiben Sie den Text mit *er – sie – sie*.

Das ist Semra. Sie kommt aus der Türkei. Und das ist Markus. Markus kommt aus Österreich. Semra und Markus leben in Deutschland. Semra und Markus wohnen jetzt in Berlin. Semras Eltern leben auch in Deutschland. Semras Eltern wohnen in Frankfurt.

Das ist Semra. Sie..........
..........
Und das ist Markus..........
..........
Semra und Markus..........
..........
..........
Semras Eltern..........
..........
..........
..........

C3 Grammatik entdecken

## 16 Lesen Sie und markieren Sie.

C3 Grammatik entdecken

## 17 Ergänzen Sie.

| | kommen | wohnen | leben | heißen | sein |
|---|---|---|---|---|---|
| ich | | | | | |
| du | | wohnst | lebst | | |
| er/sie | | wohnt | lebt | heißt | |
| wir | kommen | | | | sind |
| ihr | | wohnt | lebt | | |
| sie/Sie | | wohnen | leben | | sind |

**18** **Ergänzen Sie.**

a Hallo, ich h*eiße*.......... Jeanette, ich k.......... aus Frankreich, aber ich l.......... schon lange in Deutschland. Und das s.......... meine Freunde: Sie h.......... Max und Stefan. Sie s.......... aus Deutschland. Wir w.......... alle drei in Dresden. Und wer b.......... du? Woher k.......... du? Wo w.......... du?

b Wie h.......... ihr?
Woher k.......... ihr?
Wo w.......... ihr?

c Wie h.......... Sie?
Woher k.......... Sie?
Wo w.......... Sie?

**19** **Was ist richtig? Kreuzen Sie an.**

| | | | | | |
|---|---|---|---|---|---|
| a | Er | ☒ heißt | ☐ heißen | ☐ heiße | Martin. |
| b | Ihr | ☐ wohnst | ☐ wohnen | ☐ wohnt | in der Schillerstraße. |
| c | Sie | ☐ bin | ☐ seid | ☐ ist | Deutsche. |
| d | Ich | ☐ lebe | ☐ lebst | ☐ leben | in Stuttgart. |
| e | Sie | ☐ studierst | ☐ studiere | ☐ studiert | in Wien. |
| f | Sie | ☐ ist | ☐ sind | ☐ seid | Geschwister. |

ibtraining **20** **Steffi, Walid, Lisa und Enrique und ich. Schreiben Sie einen Text.**

1 ich – aus Polen – in Deutschland – in Ulm

2 Steffi – aus Hamburg – in Ulm

3 Walid – aus Tunesien – in Stuttgart

4 Lisa und Enrique – in Leipzig – Lisa: aus Deutschland – Enrique: aus Spanien

1 Das *bin*.......... ich. Ich .......... aus .......... und .......... jetzt in Deutschland, in Ulm.

2 Steffi .......... auch in Ulm, ..........
..........

3 *Das ist Walid. Er* ..........
..........
..........

4 *Lisa und Enrique* ..........
..........
..........
..........

D2 CD3 11

## 21 Welche Zahlen hören Sie? Markieren Sie.

1 2 3 4 5 6 7 8 9 10 11 12 (13) 14 15 16 17 18 19 20

D2

## 22 Schreiben Sie die Zahlen.

| | | |
|---|---|---|
| 1 ...eins... | 8 ........ | 15 ........ |
| 2 ........ | 9 ........ | 16 ........ |
| 3 ........ | 10 ........ | 17 ........ |
| 4 ........ | 11 ........ | 18 ........ |
| 5 ........ | 12 ........ | 19 ........ |
| 6 ........ | 13 ........ | 20 ........ |
| 7 ........ | 14 ........ | |

D3 Grammatik entdecken

## 23 Ergänzen Sie *in – aus*.

**Woher?**

Ich komme .......... der Türkei. / Spanien. / Berlin.

**Wo?**

Ich wohne/lebe .......... Deutschland. / der Schweiz. / Frankfurt.

D3

## 24 Ordnen Sie zu.

| | | |
|---|---|---|
| a | Wie ist Ihr Name? | Aus der Türkei. |
| b | Woher kommen Sie? | Türkisch und Deutsch. |
| c | Wo sind Sie geboren? | Elif Karadeniz. |
| d | Wo wohnen Sie? | Erdal und Bilge. |
| e | Wie heißen Ihre Kinder? | In München. In der Hansastraße 10. |
| f | Was sprechen Sie? | In Ankara. |

D3

## 25 Ergänzen Sie *Wo – Woher – Wie – Wer*.

a ...Wie... ist Ihr Name?
b .......... kommen Sie?
c .......... wohnen Sie?
d .......... ist Ihre Adresse?
e .......... sind Sie geboren?
f .......... sind Sie?
g .......... ist Ihr Vorname?
h .......... ist Ihr Familienname?

## 26 Schreiben Sie die Fragen.

● ....................................................................?
▲ Schröder.
● ....................................................................?
▲ Maria.
● ........................................................... *geboren*?
▲ In Halle.
● ....................................................................?
▲ Stuttgart, Parkstraße 7.
● ....................................................................?
▲ 23 57 18.
● ....................................................................?
▲ Ja, 2 Kinder.
● ....................................................................?
▲ Neun und elf Jahre.

## 27 Ergänzen Sie.

ist ● ist ● sind ● ~~Haben~~ ● haben ● hat ● hat ● habe

*Haben* ......... Sie Kinder?
Wie alt ............ Ihre Kinder?

Wir ................
zwei Kinder.

Ich ......................... zwei Kinder. Mein Sohn ............................ 32. Er ............................ vier Kinder. Meine Tochter ............................... 28, sie ........................... zwei Kinder.

## 28 Ergänzen Sie.

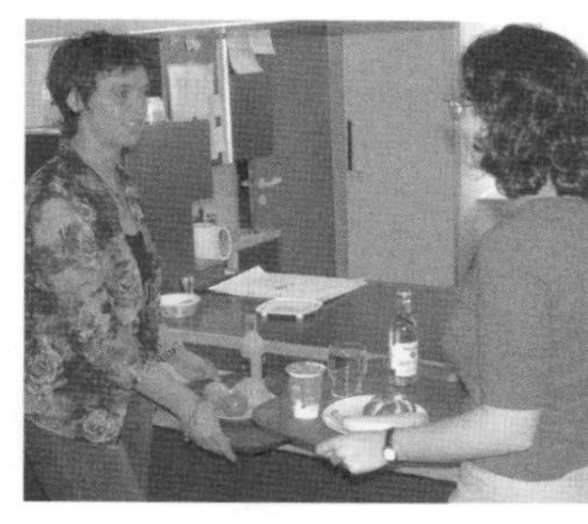

● Manuela, du k.................... aus Portugal.
Wo b.................... du geboren? ▲ In Porto.
● Du l.................... jetzt in Deutschland.
Wo w.................... du? ▲ In Hamburg.
● B.................... du verheiratet? ▲ Nein, ich bin geschieden.
● H.................... du Kinder? ▲ Ja, ein Kind.

## 29 Schreiben Sie über Manuela.

Manuela, meine Freundin ● aus Portugal ● in Porto geboren ● jetzt in Deutschland, in Hamburg ● geschieden ● 1 Kind

*Manuela ist meine Freundin.*
*Sie ...*

E Projekt **30** **Finden Sie die Antworten auf einer Karte, in einem Atlas oder fragen Sie.**

?

3 Städte in Deutschland mit H: ..................................................

2 Städte in Deutschland mit M: ..................................................

1 Fluss in Deutschland mit R: ..................................................

1 See in Deutschland mit B: ..................................................

Deutschland hat 16 Bundesländer.
In welchem Bundesland wohnen Sie?

..................................................

Wo sagt man so?

*Guten Tag!*
*Grüß Gott!*
*Grüezi!*
*Moin, Moin!*
*Servus!*
*Salü!*

CD 3 12 **Guten Tag! Grüß Gott! ... – Wo sagt man so? Hören Sie und ergänzen Sie.**

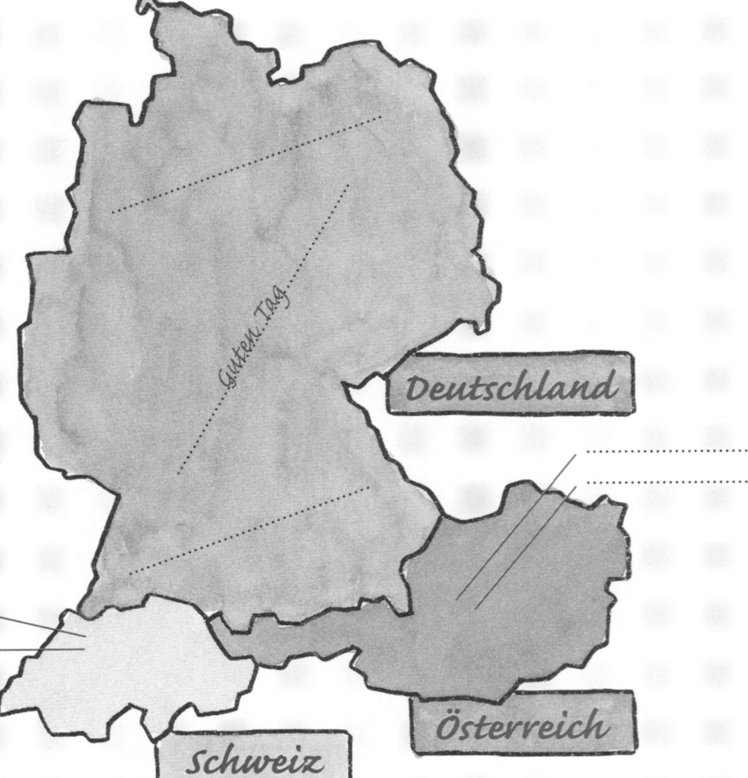

**31** **Ergänzen Sie im Lerntagebuch.**

LERNTAGEBUCH

| | | Ich | | Und Sie? / Und du? | |
|---|---|---|---|---|---|
| | | Ich heiße ... | ... | Wie heißen Sie / | ... |
| | | Ich bin ... | ... | heißt du? | ... |
| Guten Tag. | ... | Mein Name ist ... | ... | Woher kommen Sie / | ... |
| Hallo. | ... | Ich komme aus ... | ... | kommst du? | ... |
| Guten Abend. | ... | Ich spreche ... | ... | Was sprechen Sie / | ... |
| ... | | ... | | sprichst du? | ... |
| | | | | ... | |
| Wie geht es Ihnen? | ... | Ich wohne in ... | ... | Wo wohnen Sie / | ... |
| Wie geht es dir? | ... | Ich lebe in ... | ... | wohnst du? | ... |
| ... | | Ich habe ein Kind / | | Haben Sie / | ... |
| | | ... Kinder. | ... | Hast du Kinder? | ... |
| | | ... | | ... | |

ich ...e
du ...st du kommst du heißt !
Sie ...en
...
er ...t
sie ...t
wir ...en
ihr ...t
sie ...en

→ Portfolio

## Befinden

Wie geht's? ..........
super ..........
sehr gut ..........
gut ..........
auch gut ..........
es geht ..........
nicht so gut ..........

## Familie und Freunde

Familie (die, -n) ..........
Freund (der, -e) ..........
Freundin (die, -nen) ..........
Frau (die, -en) ..........
Mann (der, ¨-er) ..........
Mutter (die, ¨-) ..........
Vater (der, ¨-) ..........
Eltern (die, Pl.) ..........
Tochter (die, ¨-) ..........
Sohn (der, ¨-e) ..........
Schwester (die, -n) ..........
Bruder (der, ¨-) ..........
Geschwister (die, Pl.) ..........
Kind (das, -er) ..........
Baby (das, -s) ..........
Oma (die, -s) ..........
Opa (der, -s) ..........
Großmutter (die, ¨-) ..........
Großvater (der, ¨-) ..........
Großeltern (die, Pl.) ..........

## Personalien/Angaben zur Person

Alter (das) ..........
Familienstand (der) ..........
Geburtsort (der) ..........
Heimatland (das, ¨-er) ..........
Telefonnummer (die, -n) ..........
Wohnort (der, -e) ..........

(keine) Kinder haben ..........
leben (in) ..........
wohnen (in) ..........

geboren ..........
ledig ..........
verheiratet ..........
geschieden ..........
verwitwet ..........

Wie alt ...? ..........
Wo ...? ..........

## Ort

| | | | |
|---|---|---|---|
| Hauptstadt (die, ¨-e) | ........................ | Nord- / Ost- / Süd- / Westdeutschland | ........................ |
| Ort (der, -e) | ........................ | liegen (in) | ........................ |

## Weitere wichtige Wörter

| | | | |
|---|---|---|---|
| Frage (die, -n) | ........................ | haben, du hast, er hat | ........................ |
| Information (die, -en) | ........................ | meinen | ........................ |
| Jahr (das, -e) | ........................ | verstehen | ........................ |
| Leute (die, Pl.) | ........................ | richtig | ........................ |
| Partner (der, -) | ........................ | falsch | ........................ |
| Partnerin (die, -nen) | ........................ | auch | ........................ |
| Party (die, -s) | ........................ | lange | ........................ |
| Text (der, -e) | ........................ | oder | ........................ |
| Zahl (die, -en) | ........................ | schon | ........................ |
| Zettel (der, -) | ........................ | sehr | ........................ |
| an·kreuzen | ........................ | von | ........................ |
| aus·füllen | ........................ | Welche ...? | ........................ |

## Welche Wörter möchten Sie noch lernen?

........................ ........................
........................ ........................
........................ ........................
........................ ........................
........................ ........................
........................ ........................
........................ ........................
........................ ........................
........................ ........................
........................ ........................

# Haben Sie auch Salz?

A3 Phonetik CD 3 13

## 1 Hören Sie und markieren Sie die Satzmelodie. ↗ ↘

Haben Sie auch Salz? ↗
Was? ↗ Salz. ↗

Ich brauche Salz. ↘ Wo ist das? ↘

**a** Brauchen wir Obst? — Ja. — Wo ist denn das Obst? — Das Obst ist hier.
**b** Haben wir noch Wasser? — Nein. — Kaufst du das Wasser?
**c** Kennst du Katharina? — Nein. — Wer ist das?
Meine Freundin. — Und wer ist Anna? — Auch meine Freundin.
**d** Kennst du Bremen? — Nein. — Wo liegt das?
In Norddeutschland. — Und wo liegt Heidelberg? — In Süddeutschland.
**e** Wie heißen Sie? Antonia? — Nein. — Ja, wie heißen Sie dann?

CD 3 14

**Hören Sie noch einmal und markieren Sie die Betonung /. Sprechen Sie nach.**

Haben Sie auch Sálz? ↗
Wás? ↗ Salz? ↗

A3

## 2 Was passt? Kreuzen Sie an.

**a**
☒ Ist das Joghurt?
☐ Wer kauft Joghurt?
▲ Ja.

**b**
☐ Haben wir noch Obst?
☐ Was haben wir noch?
▲ Ja, Äpfel und Bananen.

**c**
☐ Kennst du *fan-fit*?
☐ Wer kennt *fan-fit*?
▲ Ich.

**d**
☐ Was braucht Niko?
☐ Kauft Niko Obst?
▲ Salz.

**e**
☐ Brauchen wir Mineralwasser?
☐ Wo ist das Mineralwasser?
▲ Hier.

**f**
☐ Hast du Milch, bitte?
☐ Wo ist Milch, bitte?
▲ Nein, tut mir leid.

A3

## 3 Ordnen Sie zu.

| | | |
|---|---|---|
| **a** | Brauchen wir Mineralwasser? | Eva. |
| **b** | Was brauchen wir? | Nein, Markus. |
| **c** | Hast du Obst? | Nein. |
| **d** | *fan-fit* – ist das Milch? | Nein, tut mir leid. |
| **e** | Wie heißt du? | Nein, wer ist das? |
| **f** | Kennen Sie Frau Kurowski? | Nein, mein Familienname. |
| **g** | Heißt du Nikolaj? | Nein, das ist Saft. |
| **h** | Herrmann. Ist das Ihr Vorname? | Ja, aus Graz. |
| **i** | Kommst du aus Österreich? | Brot und Milch. |

mmatik
decken

## 4 Tragen Sie die Sätze ein.

Meine Schwester heißt Nadja. ● Kennst du meine Schwester? ● Wie ist Ihr Name? ●
Heißt du Julia? ● Wohnst du in Leipzig? ● Mein Bruder heißt Max. ●
Ich heiße Adem. ● Ist Adem Ihr Vorname? ● Kommen Sie aus der Türkei? ●
Wie viele Kinder haben Sie? ● Wir haben drei Kinder. ● Sind Sie Herr Brummer?

| | | |
|---|---|---|
| *Meine Schwester* | *heißt* | *Nadja.* |
| *Wie* | | |
| | | |
| | | |
| | | |
| | | |

| | |
|---|---|
| *Kennst* | *du meine Schwester?* |
| | |
| | |
| | |
| | |
| | |

## 5 Bilden Sie Fragen.

a du / kommst / woher *Woher* ................................?

b Sie / aus Italien / kommen ................................?

c Sie / in Deutschland / wohnen ................................?

d Reis / das / ist ................................?

e Tee / du / hast ................................?

f du / Rotbusch-Tee / kennst ................................?

g Sie / meine Schwester / kennen ................................?

h wohnen / Sie / wo ................................?

## 6 Schreiben Sie Fragen.

a ● ................................? ■ Ich heiße Martin.

● ................................ Ihr Vorname? ■ Nein, das ist mein Familienname.

b ● ................................? ■ Mein Bruder.

c ● ................................ Micki? ■ Nein, wer ist das?

d ● ................................ Kunzmann? ■ Nein, ich heiße Künzelmann.

e ● ................................? ■ Ja, ich habe eine Tochter.

f ● ................................? ■ Danke gut, und Ihnen?

g ● ................................ Österreich? ■ Nein, aus der Schweiz.

h ● ................................ Frankfurt? ■ Nein, ich wohne in Heidelberg.

B2

## 7 Was ist das?

ein Kind • ein Brötchen • eine Stadt • ein Foto • ein Apfel • eine Tomate • eine Telefonnummer • eine Zahl • ein Land • eine Orange • ein Ei • ein ~~Name~~ • ein ~~Mann~~ • ein Buchstabe • eine Banane • eine Frau • eine Kartoffel • eine Frage • eine Antwort • ein Kuchen

**a** Das ist ............*ein Mann*............ ........................................ ........................................

Jasmin | 089 – 543072 | M

**b** Das ist ............*ein Name*............ ........................................ ........................................

**c** Das ist ................................ ................................ ................................ ................................

   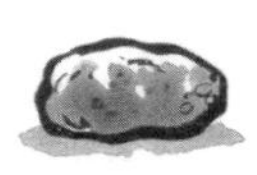

**d** Das ist ................................ ................................ ................................ ................................

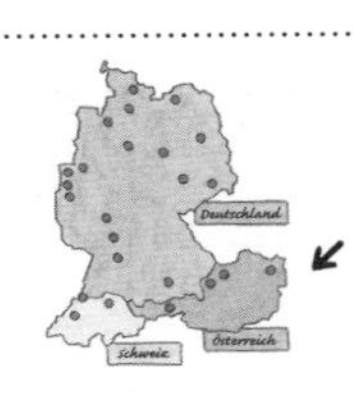

12

**e** Das ist ................................ ................................ ................................ ................................

Woher kommen Sie? | Aus Norddeutschland.

**f** Das ist ........................................................ ........................................................

B2

## 8 Ordnen Sie die Wörter aus Übung 7.

| ein | eine |
|---|---|
| *ein Mann* | *eine Frau* |
| ........................ | ........................ |
| ........................ | ........................ |
| ........................ | ........................ |
| ........................ | ........................ |
| ........................ | ........................ |
| ........................ | ........................ |
| ........................ | ........................ |
| ........................ | ........................ |
| ........................ | ........................ |

**9** **Ergänzen Sie *ein – eine – mein – meine*.**

a

Da ist ......*ein*........ Brötchen, Das ist ......*mein*.......... Brötchen!
und auch ..*eine*......... Banane, Das ist ...*meine*..... Banane!
und ......*ein*........ Apfel, Das ist ....*mein Apfel*...................!
und ......*eine*....... Tomate, Das ist ....*meine Tomate*...................!
und ......*ein*........ Ei. Das ist ....*mein Ei*...................!
Und ich? Was habe ich?

b

Hier bitte. Das ist ...*me*.......... Adresse
und das ist ..*meine*.......... Telefonnummer.

Phonetik 5 **10** **Hören Sie und sprechen Sie nach.**

Sahne • Mann • Banane • Stadt • Tomate • Apfel • Name • danke • Frage •
Foto • Kartoffel • Brot • Obst • Joghurt

6 **Hören Sie noch einmal und markieren Sie: *a*, *o* lang (a̲, o̲) oder kurz (ạ, ọ).**

Sa̲hne, Mạnn

7 **Hören Sie und sprechen Sie nach.**

Wo ist Sahne? • Eine Banane, bitte. • Ist das eine Tomate? • Haben wir Brot? •
Haben wir Obst? • Die Kartoffeln kosten drei Euro. • Kommen Sie aus Polen? •
Wo wohnen Sie?

**11** **Ergänzen Sie *ein – eine – kein – keine*.**

a

▲ Oh, .................. Apfel. Danke.
● Das ist .................. Apfel!
Das ist .................. Tomate.

b

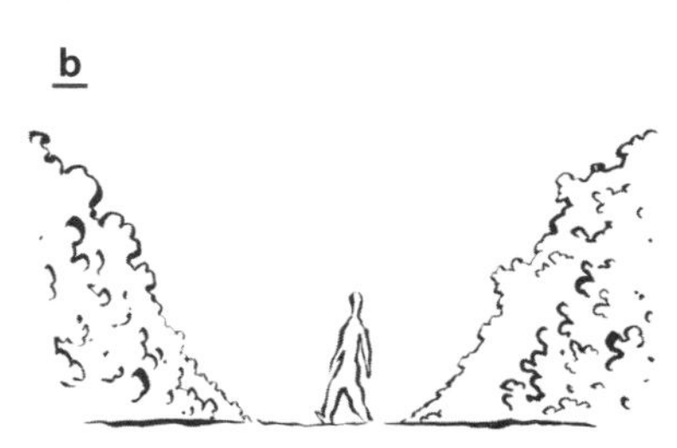

● Da kommt .................. Mann!
◆ Das ist .................. Mann,
das ist .................. Frau.

c

■ Ist das .................. Orange?
▲ Das ist .................. Orange.
Das ist .................. Apfel.

**Schreiben Sie die Sätze aus c in Ihrer Sprache und vergleichen Sie.**

..................................................................................................................

..................................................................................................................

B3

## 12 Ordnen Sie die Wörter.

Brötchen • Apfel • Tomate • Banane • Ei • Orange • Kuchen • Kind • Frau • Mann • Frage • Antwort • Name • Zahl • Buchstabe • Telefonnummer • Stadt • Land • Foto

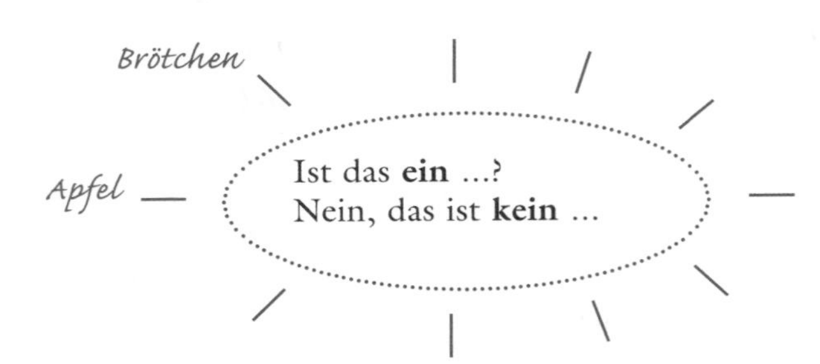


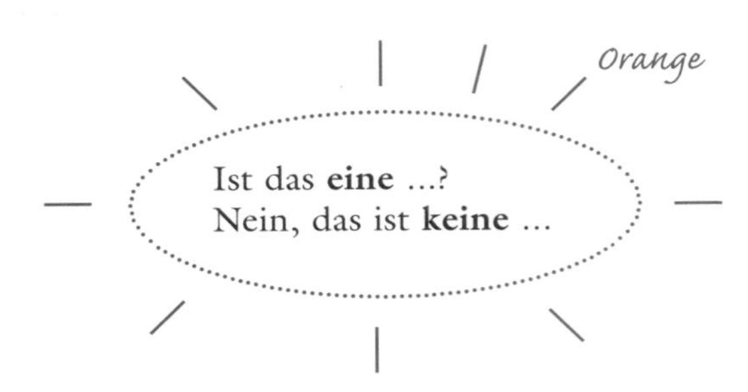


B3

## 13 Ergänzen Sie *ein – eine – kein – keine*.

**a**

- ● Özdemir? Ist das ...ein... Vorname?
- ■ Nein, das ist ...kein... Vorname, das ist ...ein... Familienname.
- ● Und Salzmann? Ist das ...eine... Stadt in Österreich?
- ■ Nein, das ist ...keine... Stadt in Österreich, das ist ...ein... Name.

**b**

- ◆ Ist das ein j?
- ▲ Nein, das ist ...kein... j, das ist ...ein... y.

**c**

- ● Frankfurt ist doch ...ein... Land, oder?
- ■ Nein, das ist ...kein... Land, das ist ...eine... Stadt.

## 14 Machen Sie eine Tabelle und tragen Sie die Wörter ein.

~~Apfel~~ • Banane • ~~Äpfel~~ • Eier • Bananen • Kartoffel • Brötchen • Kuchen • Ei • Tomaten • Flasche • Brötchen • Tomate • Länder • Flaschen • Kartoffeln • Buchstabe • Namen • Kuchen • Fotos • Städte • Mann • Frau • Kinder • Foto • Zahl • Buchstaben • Frauen • Frage • Name • Stadt • Zahlen • Kind • Männer • Fragen • Land

| Ist das ...? | Sind das ...? |
|---|---|
| *ein Apfel* | *Äpfel* |

## 15 Ergänzen Sie.

▲ Oje, *keine* ........ Eier, .................... Brötchen, .................... Kartoffeln!

● Mama, haben wir Obst? Äpfel, Orangen, ...?

▲ Nein, .................... Äpfel, .................... Orangen.

● Und Bananen?

▲ Nein, auch .................... Bananen.

● Da ist doch ein Apfel!

▲ Nein, das ist .................... Apfel, das ist .................... Tomate!

■ Mama, wie viele Zahlen hat mein Name?

▲ Das sind .................... Zahlen, das sind Buchstaben!

◆ Mama, was ...

▲ Bitte, .................... Fragen mehr.

## 16 Ergänzen Sie.

**a** ● Was haben wir noch?

■ Drei *Eier*.................... (Ei), zwei .................... (Apfel) und zwei .................... (Tomate).

● Haben wir keine .................... (Brötchen)?

**b** München und Ulm sind .................... (Stadt) in Süddeutschland.

**c** Wie viele .................... (Kind) haben Sie?

**d** Sara hat viele .................... (Foto) aus der Türkei.

**e** Mein Name hat fünf .................... (Buchstabe): B r u n o.

## 17 Machen Sie ein Plakat. Ordnen Sie folgende Wörter und die Wörter aus Übung 14.

~~Bruder – Brüder~~ • Sohn – Söhne • Vater – Väter • Schwester – Schwestern • Mutter – Mütter • Adresse – Adressen • Saft – Säfte • Joghurt – Joghurts

**1**

| | | | |
|---|---|---|---|
| Brötchen | – | Brötchen | – |
| Apfel | – | Äpfel | ¨ |
| *Bruder* | – | *Brüder* | |

**2**

| | | | |
|---|---|---|---|
| Brot | – | Brote | –e |
| Stadt | – | Städte | ¨e |

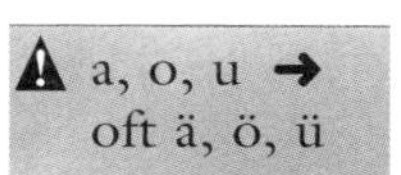

a, o, u → oft ä, ö, ü

**3**

| | | | |
|---|---|---|---|
| Kind | – | Kinder | –er |
| Mann | – | Männer | ¨er |

**4**

| | | | |
|---|---|---|---|
| Name | – | Namen | –n |
| Frau | – | Frauen | –en |

**5**

| | | | |
|---|---|---|---|
| Foto | – | Fotos | –s |

# Gewichte und Maßeinheiten

D2 Phonetik CD3 18

**18** **Hören Sie und ergänzen Sie die Zahlen.**

| | | | |
|---|---|---|---|
| ...20... zwanzig | ...22... zweiundzwanzig | ............ dreißig | ............ dreiunddreißig |
| ...40... vierzig | ............ fünfundvierzig | ............ fünfzig | ............ achtundfünfzig |
| ............ sechzig | ............ vierundsechzig | ............ siebzig | ............ fünfundsiebzig |
| ............ achtzig | ............ dreiundachtzig | ............ neunzig | ............ neunundneunzig |

CD3 19

**Hören Sie noch einmal und sprechen Sie nach.**

D2 Phonetik CD3 20

**19** **Meine Telefonnummer ist ... Was hören Sie? Kreuzen Sie an.**

☐ 49 65 ☐ 65 39 ☐ 34 33 10 ☐ 39 63 13 ☐ 5 32 23 ☐ 5 22 31
☐ 07633 – 8 17 29 ☐ 07131 – 6 81 92

CD3 21

**Hören Sie noch einmal und sprechen Sie nach.**

D2 CD3 22

**20** **Hören Sie und verbinden Sie die Zahlen.**

30 21 25 39 20 42 45 26 24 33 84 43 38 37 28 48 63 82 54 81 93 75 36 72 70 67 86 83

D3

**21** **Finden Sie noch 11 Wörter.**

| A | C | T | E | E | D | H | W | E | I | N |
|---|---|---|---|---|---|---|---|---|---|---|
| W | B | M | I | L | C | H | N | F | Z | G |
| A | B | K | A | F | F | E | E | L | I | K |
| S | U | M | F | B | R | O | T | E | H | L |
| S | T | N | I | O | R | T | P | I | C | K |
| E | T | A | S | A | L | Z | T | S | E | Ä |
| R | E | E | C | L | M | O | B | C | R | S |
| H | R | G | H | O | B | S | T | H | F | E |

D3 CD3 23

**22** **Ein Brötchen hat viele Namen. Wie heißt es noch? Hören Sie und kreuzen Sie an.**

☐ Semmel ☐ Rundstück ☐ Wecken ☐ Hering ☐ Kuchen ☐ Schrippe

**Wo sagt man wie? Hören Sie noch einmal und ordnen Sie zu.**

| | |
|---|---|
| Semmel | Hamburg |
| Wecken | Berlin |
| Schrippe | Süddeutschland / Stuttgart |
| Rundstück | Süddeutschland / München |

## 23 Notieren Sie im Lerntagebuch.

LERNTAGEBUCH

*Lebensmittel*

*Joghurt*
*Obst* – *essen* –
*Apfel*

*Tee*
– *trinken* –

*einkaufen*

*Ich möchte …*
*Ich hätte gern …*
*Ich brauche …*
…
…

*Wo finde ich …?*
*Haben Sie …?*
…
…

*Was kostet/kosten …?*
*Wie viel kostet/kosten …?*
…
…

*Ja, bitte.*
*Nein, danke.*
*Das ist alles.*
…
…
…

… *Gramm*
*Wie viel?*

Portfolio

Projekt

## 24 Im Supermarkt – Notieren Sie.

**Was kostet …? Was kosten …?**

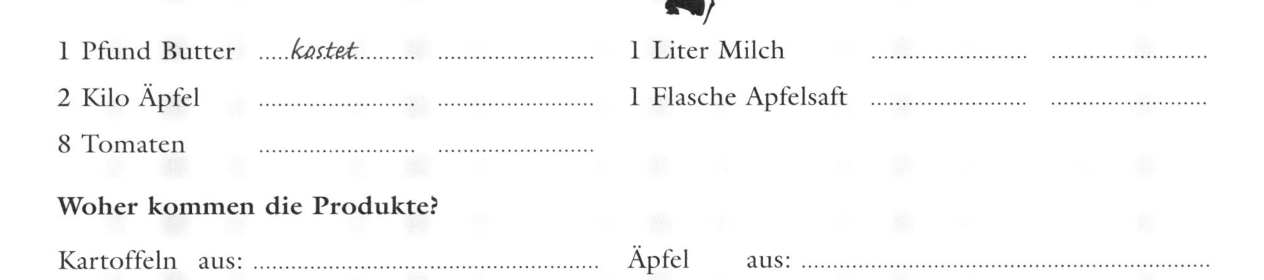

| | | | | | |
|---|---|---|---|---|---|
| 1 Pfund Butter | *kostet* | ……… | 1 Liter Milch | ……… | ……… |
| 2 Kilo Äpfel | ……… | ……… | 1 Flasche Apfelsaft | ……… | ……… |
| 8 Tomaten | ……… | ……… | | | |

**Woher kommen die Produkte?**

Kartoffeln aus: ………………… Äpfel aus: …………………

Tomaten aus: ………………… Bananen aus: …………………

**Welche Wörter brauchen Sie noch im Supermarkt? Suchen Sie im Wörterbuch. Notieren Sie 5 neue Wörter und zeichnen Sie.**

*Wurst*

*Spaghetti*

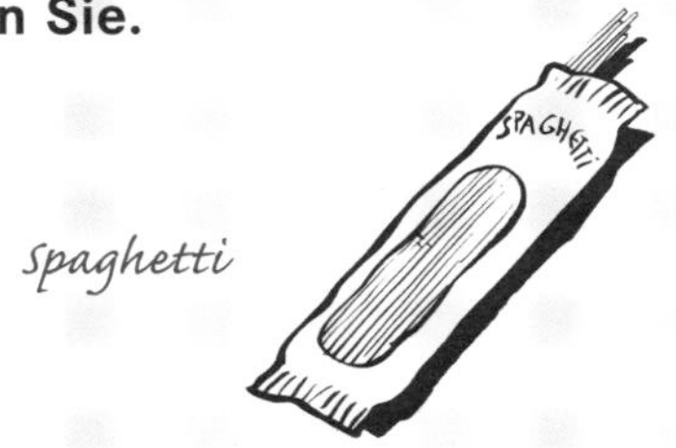

## Lebensmittel

Lebensmittel (das, -) ..........
Apfel (der, ¨) ..........
Banane (die, -n) ..........
Bier (das) ..........
Birne, (die, -n) ..........
Brot (das, -e) ..........
Brötchen (das, -) ..........
Butter (die) ..........
Ei (das, -er) ..........
Fisch (der, -e) ..........
Fleisch (das) ..........
Gemüse (das) ..........
Getränk (das, -e) ..........
Kaffee (der) ..........
Kartoffel (die, -n) ..........
Käse (der) ..........
Kuchen (der, -) ..........
Mehl (das) ..........
Milch (die) ..........
(Mineral)wasser (das) ..........
Obst (das) ..........
Orange (die, -n) ..........
Reis (der) ..........
Rind(fleisch) (das, -er) ..........
Saft (der, ¨e) ..........
Sahne (die) ..........
Salz (das) ..........
Tee (der) ..........
Tomate (die, -n) ..........
Wein (der) ..........
Wurst (die) ..........

## Beim Einkaufen

Bäckerei (die, -en) ..........
Einkauf (der, ¨e) ..........
(Einkaufs)zettel (der, -) ..........
Kunde (der, -n) ..........
Kundin (die, -nen) ..........
Laden (der, ¨) ..........
Metzgerei (die, -en) ..........
Supermarkt (der, ¨e) ..........
Verkäufer (der, -) ..........
Verkäuferin (die, -nen) ..........

brauchen ..........
finden ..........
helfen, du hilfst, er hilft ..........
kaufen ..........
möchten ..........

## Mengenangaben

| | | | |
|---|---|---|---|
| Gewicht (das) | ........................................ | Becher (der, -) | ........................................ |
| Gramm (das) | ........................................ | Dose (die, -n) | ........................................ |
| Pfund (das) | ........................................ | Flasche (die, -n) | ........................................ |
| Kilo (das) | ........................................ | Packung (die, -en) | ........................................ |
| Liter (der) | ........................................ | Wie viel ...? | ........................................ |

## Preise

| | | | |
|---|---|---|---|
| Euro | ........................................ | kosten | ........................................ |
| Cent | ........................................ | Wie viel kostet/ kosten ... | ........................................ |
| Preis (der, -e) | ........................................ | Was kostet/kosten ... | ........................................ |

## Weitere wichtige Wörter

| | | | |
|---|---|---|---|
| Glas (das, ¨-er) | ........................................ | heute | ........................................ |
| Prospekt (der, -e) | ........................................ | hier | ........................................ |
| Rezept (das, -e) | ........................................ | kein- | ........................................ |
| Sportler (der, -) | ........................................ | neu | ........................................ |
| Text (der, -e) | ........................................ | noch | ........................................ |
| Wörterbuch (das, ¨-er) | ........................................ | nur | ........................................ |
| backen | ........................................ | ..., oder? | ........................................ |
| kennen | ........................................ | viel | ........................................ |
| sammeln | ........................................ | auf Deutsch | ........................................ |
| doch | ........................................ | zum Beispiel | ........................................ |
| | | Wie bitte? | ........................................ |

# Das Bad ist dort.

A2 **1** **Ergänzen Sie *der – das – die* und ordnen Sie die Wörter.**

Küche • Zimmer • Wohnzimmer • Balkon • Schlafzimmer • Kinderzimmer • Toilette

| ein / ........der........ | ein / ...................... | eine / ...................... |
|---|---|---|
| Flur | Bad | Wohnung |

A2 **2** **Ergänzen Sie *ein – eine – der – das – die.***

● Herzlich willkommen. Das ist meine Wohnung.

▲ Schön! Aber sagen Sie mal, ist hier auch ..................... Bad?

● Natürlich, hier ist alles: ..................... Schlafzimmer, ..................... Wohnzimmer, auch ..................... Bad und ..................... Balkon.

● .Das............. Wohnzimmer ist hier.

▲ Oh, ..................... Wohnzimmer ist aber klein!

● Hier ist ..................... Schlafzimmer.

▲ Ah, ja!

▲ Ach, und hier ist ..................... Bad.

● Ja, das ist ..................... Bad.

▲ Haben Sie auch ..................... Küche?

● Ja, ..................... Küche ist dort.

**3** **Ergänzen Sie *hier – dort*.**

● hier ● dort

**4** **Ergänzen Sie.**

eine Stadt ● die Hauptstadt ● ein Hase ● der Hase ● ein Foto ● Das Foto ● ~~eine Stadt~~ ● Die Stadt ● ein Supermarkt ● Der Supermarkt ● eine Bäckerei ● die Bäckerei

a Wien ist *eine Stadt*................ . Wien ist ................ von Österreich.

b Kiel ist ................ in Norddeutschland. ................ ist sehr schön.

c Das ist ................ von Niko. ................ ist schon sehr alt.

d Schnuffi ist ................ . Schnuffi ist ................ von Sara.

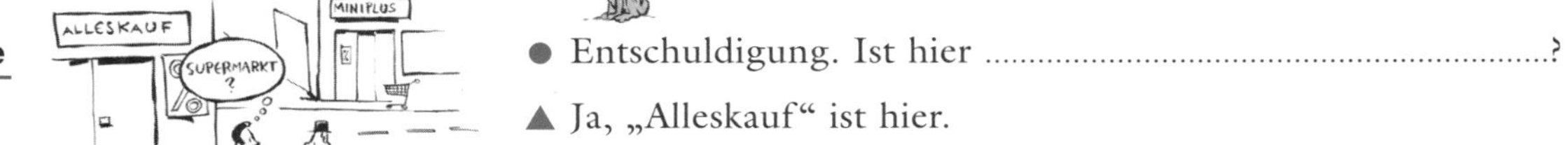

e
● Entschuldigung. Ist hier ................?
▲ Ja, „Alleskauf“ ist hier.
Und dort ist „Miniplus“. ................ ist gut und billig.

f
● Ist im „Alleskauf“ auch ................?
▲ Ja, ................ „Backfrisch“.

A2

## 5 Ergänzen Sie *ein* – *eine* – *der* – *das* – *die* oder /.

**a**
- ◆ Ich gehe jetzt in den Supermarkt. Ist noch ....../...... Obst da? Und auch noch .............. Mineralwasser?
- ▲ Oh, hier sind .............. Sonderangebote: .............. Mineralwasser kostet nur 42 Cent pro Flasche, auch .............. Obst ist nicht teuer und .............. Rindfleisch kostet 7 Euro 49.
- ◆ Wir brauchen aber kein Rindfleisch.
- ▲ Im Supermarkt ist auch .............. Bäckerei.
- ◆ Ja, und?
- ▲ .............. Brot dort ist sehr gut!

die Bäckerei
das Beispiel
das Brot
das Fleisch
der Kuchen
das Mineralwasser
der Name
das Obst
das Sonderangebot
die Stadt
das Telefon
die Übung
der Wein

**b**
- ◆ Entschuldigung, ist hier .............. Telefon?
- ▲ Ja, .............. Telefon ist dort.

**c**
- ◆ Guten Tag, ich möchte Frau Andreotti sprechen.
- ▲ Entschuldigung, wie ist .............. Name?
- ◆ Andreotti, Maria.

**d**
- ◆ Das ist .............. Wein aus Italien.
- ▲ Hmm, .............. Wein ist sehr gut.

**e**
- ◆ Ich wohne in Frankfurt.
- ▲ Ist das .............. schöne Stadt?

**f**
- ◆ Machen Sie bitte .............. Übung 4. Hier ist .............. Beispiel.
- ▲ Tut mir leid, .............. Beispiel verstehe ich nicht.

**g**
- ◆ Was möchtest du? Hier ist .............. Apfelkuchen und .............. Schokoladenkuchen. .............. Apfelkuchen ist von Angela und .............. Schokoladenkuchen ist von Andreas.

**6** **Ergänzen Sie *er* – *es* – *sie*.**

a ● Wie gefällt Ihnen die Wohnung? ■ Gut, und .................... ist billig.

b ● Wie gefällt Ihnen die Stadt? ■ .................... ist sehr schön.

c ● Wie gefällt Ihnen das Buch? ■ .................... ist sehr gut.

d ● Wie schmeckt Ihnen das Fleisch? ■ .................... ist sehr gut.

● Und der Wein? ■ .................... ist auch sehr gut.

e ● Wie gefällt Ihnen das Haus? ■ .................... ist sehr schön.

**7** **Schreiben Sie die Sätze in Ihrer Sprache. Vergleichen Sie.**

**Die** Wohnung ist **groß**. ....................

**Das** Wohnzimmer ist **groß**. ....................

**Der** Balkon ist **groß**. ....................

**8** **Schreiben Sie die Sätze mit *nicht*.**

a Das Zimmer ist klein. ....................

b Die Wohnung ist billig und sie ist groß. ....................

c Die Musik ist schön. ....................

d Das Getränk *fan-fit* schmeckt gut. ....................

e Das ist die Rosenheimer Straße. ....................

f Das ist meine Schwester. ....................

**9** **Wie heißt das Gegenteil? Schreiben Sie.**

a Der Balkon ist groß. *Er ist nicht groß, er ist klein.*

b Der Flur ist breit. ....................

c Das Arbeitszimmer ist hell. ....................

d Die Küche ist neu. ....................

e Das Haus ist sehr teuer. ....................

**10** **Lesen Sie und schreiben Sie.**

Also, Sie sind Fernando Alvarez und Sie kommen aus Mexiko. Sie sind 35. Ihre Frau heißt Maria Alvarez und Sie wohnen in Nürnberg. Sie sprechen Englisch und Sie lernen Deutsch.

Stopp, Stopp, das ist nicht richtig.
Ich bin nicht ....................
.................... *Ich spreche schon gut Deutsch!*

# Ich habe nicht viele **Möbel**.

C1 Phonetik CD3 24

## 11 Hören Sie und markieren Sie die Betonung ⁄.

wóhnen – das Zímmer – das Wohnzimmer – das Schlafzimmer – das Kinderzimmer ● die Küche – der Schrank – der Küchenschrank – der Kühlschrank ● waschen – die Maschine – die Waschmaschine ● der Wein – die Flasche – die Weinflasche ● das Land – die Karte – die Landkarte

CD3 25

**Hören Sie noch einmal und sprechen Sie nach.**

C1

## 12 Was fehlt hier? Schreiben Sie.

a

der Fernseher ..................

das ..................

b

..................

..................

c

..................

..................

d

..................

e

..................

C2

## 13 Suchen Sie im Wörterbuch.

Regal – *der*, *das* oder *die*?

.................. Regal  die .................. 

So finden Sie es im Wörterbuch:

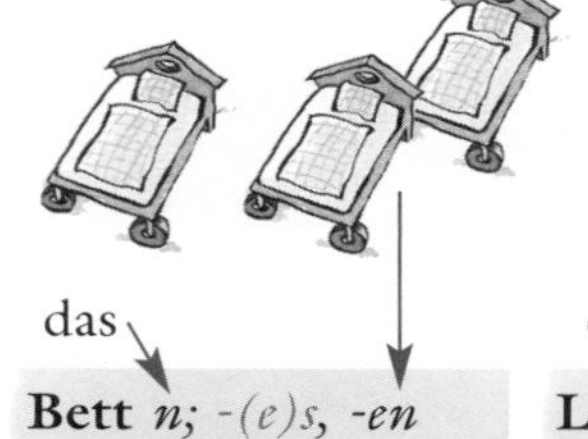

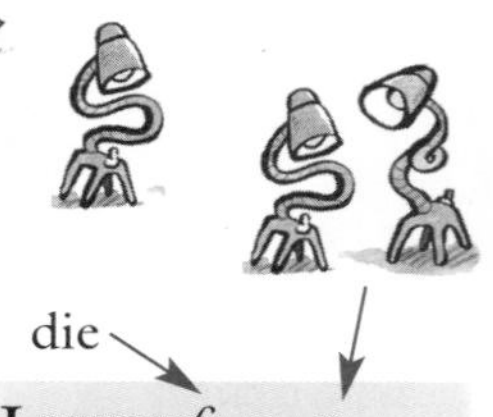

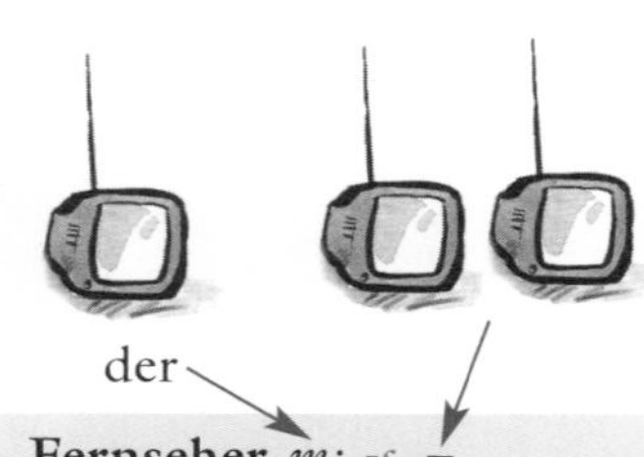

| **Stuhl** *der; -(e)s, Stühle* | das **Bett** *n; -(e)s, -en* | die **Lampe** *f; –, -n* | der **Fernseher** *m; -s, –* |
|---|---|---|---|
| der Stuhl, die Stühle | das Bett, die Betten | die Lampe, die Lampen | der Fernseher, die Fernseher |
| m = maskulin = der | n = neutral = das | f = feminin = die | |

**14** **Ergänzen Sie.**

| | | | |
|---|---|---|---|
| .......... Stuhl | *die Stühle*.......... | .......... Haus | .......... |
| .......... Tisch | .......... | .......... Wohnung | .......... |
| .......... Lampe | .......... | .......... Zimmer | .......... |
| .......... Sofa | .......... | .......... Schrank | .......... |
| .......... Bett | .......... | .......... Fernseher | .......... |
| .......... Dusche | .......... | .......... Küche | .......... |
| .......... Waschmaschine | .......... | .......... Terrasse | .......... |
| .......... Bad | .......... | .......... Toilette | .......... |

**15** **Schreiben Sie Fragen und antworten Sie.**

Gar nicht. • Gut. • Sehr gut. • Nicht so gut. • Es geht. • Ganz gut. • …
(sehr) schön • hässlich • billig • (nicht) teuer • groß • modern • alt • …

◆ *Wie gefällt Ihnen der Tisch?*..........
● *Gar nicht. Er ist sehr groß und alt.*..........

◆ *Wie gefallen Ihnen*..........
● ..........

◆ *Wie*..........
● ..........

◆ *Wie*..........
● ..........

◆ *Wie*..........
● ..........

◆ *Wie*..........
● ..........

C2 Grammatik entdecken

## 16 Ergänzen Sie *der – das – die – ein – eine – er – es – sie*.

| | | |
|---|---|---|
| ein / der | → | er |
| / | → | es |
| eine / | → | |
| – / die | → | |

■ Haben Sie Schränke, Sofas und auch Waschmaschinen?

▲ Ja natürlich, wir haben alles. .................. Schränke und ................ Sofas sind hier, ................ Waschmaschinen dort. Wie gefällt Ihnen zum Beispiel .................. Schrank hier?

■ Gut, ................ ist schön und groß. Was kostet ..................?

▲ 45 Euro. Hier ist noch .................. Schrank, .................. kostet 60 Euro.

■ Und .................. Sofa dort?

▲ 30 Euro, .................. ist alt, aber sehr schön.

■ Aha, und was kosten .................. Waschmaschinen?

▲ .................. kosten 60 – 120 Euro. Hier ist .................... Maschine zu 70 Euro und ............................ Maschine dort kostet 120 Euro. .................. ist neu.

C2

## 17 Notieren Sie im Lerntagebuch. Ordnen Sie die Wörter in Gruppen. Nehmen Sie die Wortliste ab S. 174 und ergänzen Sie *der*, *das* oder *die*.

~~Abend~~ • ~~Antwort~~ • ~~Apfel~~ • Banane • Brot • Brötchen • ~~Bruder~~ • ~~Buch~~ • Buchstabe • Ei • Familienname • Fisch • Flasche • Fleisch • Formular • Frage • Frau • Gemüse • Gespräch • Getränk • Hausnummer • Joghurt • Kartoffel • Käse • Kind • Kuchen • Kurs • Land • Lied • Mann • Milch • Mittag • Morgen • Mutter • Nacht • Nummer • Obst • Orange • Ort • Partner • Partnerin • Postleitzahl • Salz • Schwester • Sohn • Spiel • Sprache • Stadt • ~~Straße~~ • Tee • Telefonnummer • Text • Tochter • Tomate • Vater • Vorname • Wein • Wort

LERNTAGEBUCH

→ Portfolio

26

**18** **Welche Zahlen hören Sie? Markieren Sie die Zahlen und finden Sie mit den Buchstaben das Lösungswort.**

| A | Z | M | G | H | U | L | K | P | E |
|---|---|---|---|---|---|---|---|---|---|
| 187 | 943 | 98 | 35 | 76 | 178 | 934 | 53 | 262 | 67 |

| F | S | N | W | O |
|---|---|---|---|---|
| 89 | 226 | 27 | 373 | 72 |

Lösungswort: ...... ...... ...... ...... ...... ......

Projekt **19** **Wohnungsanzeigen lesen und verstehen**

**Ap.**, ca. 30 $m^2$, möbliert, € 300 inkl. NK + KT 0761/4330915

**2-Zi.-Whg.**, kl. Garten, ca. 55 qm, EBK, ab sofort für € 450 Warmmiete zu vermieten 07633/2164

**3-Zi.-Whg.**, 84 $m^2$, Balkon, 680,- € + NK + TG, Südbau Immobilien 07632/485311

**Schöne 3-Zi.-Whg.**, 80 qm, 2 Balkone, Garage, KM 510,- € + NK € 110,-, 2 MM KT 0172-4885632

Von Privat: **helle 4-Zi.-Whg.**, schöner, gr. Balk., KM 750 Euro + NK / KT 07668/94 26 30

**Was bedeutet das? Fragen Sie.**

Ap. • Zi. • Whg. • KM • Warmmiete • NK • MM • KT • inkl. • gr. • kl. • ca. • Balk. • EBK • TG • Von Privat

Was heißt MM?

Ich glaube, das heißt Monatsmiete.

**Machen Sie ein Plakat für die Klasse. Zum Beispiel so:**

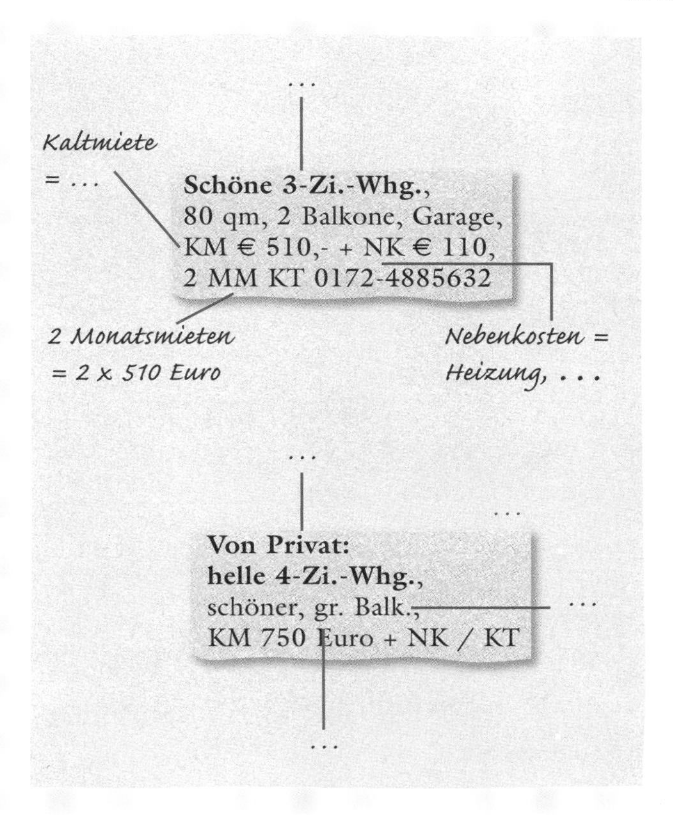

E2 Phonetik CD3 27

## 20 Hören Sie und markieren Sie: *e*, *i* lang (e̲, i̲) oder kurz (ẹ, ị).

das Bẹtt • Gute Idee! • die Adresse • zehn Meter • sechzig Zentimeter • die Miete • der Tisch • das Zimmer • die Musik • die Familie

CD3 28

**Hören Sie noch einmal und sprechen Sie nach.**

E2 Phonetik CD3 29

## 21 Hören Sie und sprechen Sie nach.

Ich lebe jetzt in England. • Möchten Sie Tee? • Lesen Sie bitte den Text. • Die Miete ist billig. – Das ist richtig. • Wo ist das Kinderzimmer? – Hier links. • Ein Liter Milch, ein Kilo Fisch.

E3

## 22 Sie brauchen noch Möbel.

**a Welche Möbel brauchen Sie? Sehen Sie die Zeichnung an und notieren Sie.**

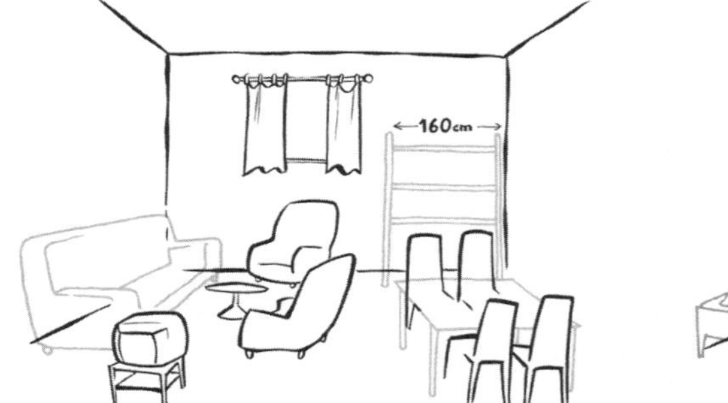


**b Welche Anzeigen passen?**

Anzeigen 3, ..........................  Anzeigen ..........................

**1** **Schlafzimmer** komplett, Schrank H 227 B 220, Bett 180x200, 3 Jahre alt, für € 900,-, 0170-5229386

**2** **Kleiderschrank**, 4-tür., H 2,38m B 2,20 m € 200,-; 2 Betten 90x200, € 180,-. VHB, 07623/3184

**3** **Sofa**, Leder schwarz, sehr bequem, € 60,-. 07658/1735

**4** **Sofa + 2 Sessel**, neu, € 400; Regal H 1,70 B 1,50 € 80 VHB Tel. 0172-2169800

**5** **Franz. Bett** aus Metall mit Matratze 140x200 € 160,- VHB. 0173-4485609

**6** **Wohnzimmerschrank** H 2 m B 2,80 m 120 €; Kinderbett 1,40 m 70 €; 2 Sessel 80 €, 0761/5574915

**7** **Esstisch**, rund, 4 J. alt € 45; Sofa € 35,-. 0172-6177465

**8** **Verkaufe Bett** 1x2 m + Matratze € 60,-; 2 Regale H 1,80 B 0,95 € 90, 07665/51614

**9** **Schreibtisch** 120 b/0,72 h/0,80 t Euro 50; Tel. 0170-933656

**10** **Tisch (2,10x100)** 6 Stühle, Fernsehtisch alles zusammen € 300 VHB. 07663-5520

H/h = Höhe/hoch  B/b = Breite/breit  T/t = Tiefe/tief

VHB = Verhandlungsbasis

160 Euro! | Na ja ... 120? | Nein, 140. | O.k.

btraining

## 23 Antworten Sie auf die SMS.

Hallo Maria, in der Zeitung sind heute Anzeigen: Esstisch rund, Sofa schwarz, nicht teuer! Julia

Esstisch prima •
Sofa auch ganz neu •
prima in meine Wohnung passen •
Wohnung jetzt sehr schön

Hallo Julia,

vielen Dank für Deine SMS! Der Esstisch ist prima und das ..............................

..............................

Alles ..............................

..............................

Meine ..............................

..............................

Viele Grüße
Maria

## 24 Notieren Sie im Lerntagebuch.

grün: der … / blau: das … / rot: die …

LERNTAGEBUCH

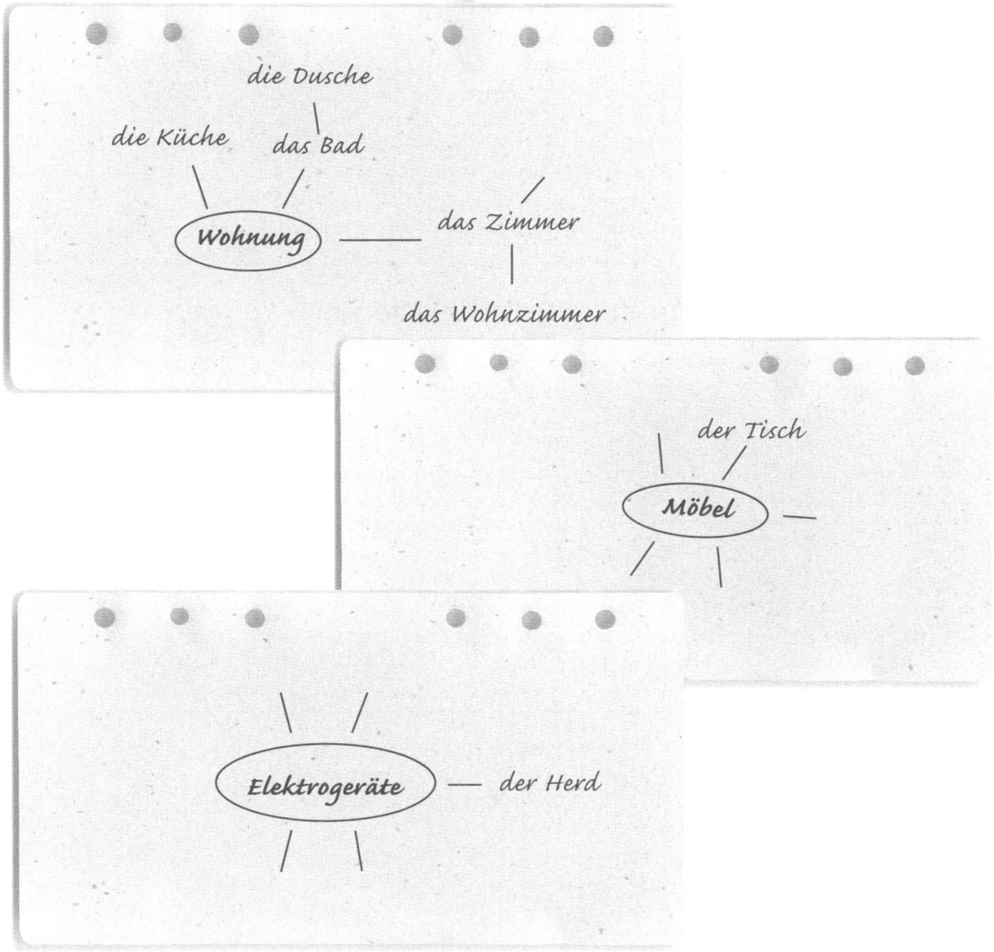

die Dusche
die Küche
das Bad
Wohnung
das Zimmer
das Wohnzimmer

der Tisch
Möbel

Elektrogeräte
der Herd

Portfolio

## Nach dem Ort fragen

Wo ist ...? ..............................

hier ..............................
dort ..............................

## Farben

Farbe die, -n ..............................
blau ..............................
braun ..............................
dunkelblau ..............................
gelb ..............................

grau ..............................
grün ..............................
rot ..............................
schwarz ..............................
weiß ..............................

## Etwas beschreiben

alt ..............................
billig ..............................
breit ..............................
dunkel ..............................
groß ..............................
hässlich ..............................
hell ..............................

hoch ..............................
klein ..............................
lang ..............................
neu ..............................
schmal ..............................
schön ..............................
teuer ..............................

## Haus/Wohnung

Apartment das, -s ..............................
Bad das, ¨er ..............................
Balkon der, -e ..............................
Flur der, -e ..............................
Garage die, -n ..............................
Haus das, ¨er ..............................
Kinderzimmer das, - ..............................
Küche die, -n ..............................

Schlafzimmer das, - ..............................
Stock der, Stockwerke ..............................
Toilette die, -n ..............................
Wohnung die, -en ..............................
Wohnzimmer das, - ..............................
Zimmer das, - ..............................

## Möbel, Elektrogeräte, Bad

Badewanne die, -n ..............................
Bett das, -en ..............................
Dusche die, -n ..............................
Elektrogerät das, -e ..............................
Fernseher der, - ..............................

Herd der, -e ..............................
Kühlschrank der, ¨e ..............................
Lampe die, -n ..............................
Möbel das, - ..............................
Regal das, -e ..............................

| | | | |
|---|---|---|---|
| Schrank der, ¨-e | ..................... | Tisch der, -e | ..................... |
| Schreibtisch der, -e | ..................... | Waschbecken das, - | ..................... |
| Sofa das, -s | ..................... | Waschmaschine die, -n | ..................... |
| Stuhl der, ¨-e | ..................... | | |

## Eine Wohnung suchen

| | | | |
|---|---|---|---|
| Kaution die, -en | ..................... | Wohnungsanzeige die, -n | ..................... |
| Miete die, -n | ..................... | mieten | ..................... |
| Nebenkosten die (Pl.) | ..................... | möbliert | ..................... |
| Quadratmeter der, - | ..................... | von privat | ..................... |

## Weitere wichtige Wörter

| | | | |
|---|---|---|---|
| Anruf der, -e | ..................... | glauben | ..................... |
| Anzeige die, -n | ..................... | passen | ..................... |
| Computer der, - | ..................... | schmecken | ..................... |
| Elektrogeschäft das, -e | ..................... | verkaufen | ..................... |
| Kirche die, -n | ..................... | zeichnen | ..................... |
| Marke die, -n | ..................... | frei | ..................... |
| Meter der, - | ..................... | gebraucht | ..................... |
| Monat der, -e | ..................... | bald | ..................... |
| Nachricht die, -en | ..................... | bis | ..................... |
| Personalabteilung die, -en | ..................... | ganz gut | ..................... |
| Platz der, ¨-e | ..................... | genau | ..................... |
| Sonderangebot das, -e | ..................... | gern | ..................... |
| Versicherung die, -en | ..................... | gleich | ..................... |
| Zentimeter der, - | ..................... | oben | ..................... |
| bezahlen | ..................... | prima | ..................... |
| Durst/Hunger haben | ..................... | ungefähr | ..................... |
| gefallen, mir gefällt | ..................... | Danke für ... | ..................... |
| | | Mit freundlichen Grüßen | ..................... |
| | | zu Hause | ..................... |

# Es ist schon neun Uhr.

A4

## 1 Ergänzen Sie *vor* – *nach*.

Ein Uhr. / Eins.
Zwei Uhr. / Zwei.

Fünf ...vor............... zwei.
Zehn .......................... zwei.
**Viertel** .......................... zwei.
Zwanzig .......................... zwei.
Zehn .......................... halb zwei.
Fünf .......................... halb zwei.

Fünf ...nach............... eins.
Zehn .......................... eins.
**Viertel** .......................... eins.
Zwanzig .......................... eins.
Zehn ...vor............... halb zwei.
Fünf .......................... halb zwei.

**Halb** zwei.

A4

## 2 Ordnen Sie zu.

**1** Halb vier. **2** Viertel vor zehn. **3** Zwanzig nach zehn. **4** Fünf nach halb acht. **5** Viertel nach zwei. **6** Kurz vor zwölf. **7** Zehn vor halb fünf. **8** ~~Halb acht~~. **9** Zehn nach fünf. **10** Fünf nach drei. **11** Zehn vor neun. **12** Fünf vor halb vier. **13** Fünf vor acht. **14** Kurz nach eins. **15** Zwanzig vor drei.

| | | | | |
|---|---|---|---|---|
| 8 07:30 | ☐ 15:30 | ☐ 11:58 | ☐ 14:15 | ☐ 09:45 |
| ☐ 10:20 | ☐ 02:40 | ☐ 16:20 | ☐ 17:10 | ☐ 08:50 |
| ☐ 19:35 | ☐ 07:55 | ☐ 03:05 | ☐ 15:25 | ☐ 01:02 |

A4

## 3 Schreiben Sie die Uhrzeit.

**a** Halb drei. ...2:30.... ...14:30...
**b** Viertel vor zehn. .............. ..............
**c** Viertel nach sechs. .............. ..............
**d** Zwanzig nach sieben. .............. ..............
**e** Zehn nach neun. .............. ..............
**f** Zwanzig vor acht. .............. ..............
**g** Viertel nach elf. .............. ..............
**h** Fünf nach zwölf. .............. ..............
**i** Fünf vor halb fünf. .............. ..............
**j** Zehn vor halb eins. .............. ..............
**k** Fünf vor halb vier. .............. ..............
**l** Zehn nach halb zehn. .............. ..............

A4

## 4 Ergänzen Sie *schon* – *erst* und die Uhrzeit.

**a** ◆ Oh, es ist .......................................... 12 Uhr.
● Nein, es ist .....erst....................................
..........................................................................

**b** ■ Schnell, ins Bett!
Es ist ............................ neun Uhr.
▲ Nein, es ist ..........................................

## 5 Markieren Sie und schreiben Sie.

a Frau Bond steht früh auf. ...aufstehen...........
b Sie macht das Frühstück. ...............................
c Sie arbeitet bis 12 Uhr. ...............................
d Sie kauft im Supermarkt ein. ...............................
e Sie kocht das Mittagessen. ...............................
f Sie räumt die Wohnung auf. ...............................
g Sie ruft Freunde an. ...............................
h Sie sieht noch ein bisschen fern. ...............................

## 6 Ergänzen Sie.

a

| | | | | |
|---|---|---|---|---|
| | Markus | sieht | | fern. |
| jeden Abend | Markus | sieht | jeden Abend | fern. |
| um acht Uhr | Markus | sieht | jeden Abend um acht Uhr | fern. |

b

| | | | | |
|---|---|---|---|---|
| | Ich | räume | | auf. |
| jetzt | Ich | ........ | ........ | ........ |
| mein Zimmer | ........ | ........ | ........ | ........ |

c

| | | | | |
|---|---|---|---|---|
| | Ich | rufe | | an. |
| meine Eltern | Ich | ........ | ........ | ........ |
| in Hamburg | ........ | ........ | ........ | ........ |

## 7 Notieren Sie im Lerntagebuch.

auf/stehen — Ich stehe früh auf.
an/rufen — ...
auf/räumen — ...
ein/kaufen — ...

Portfolio

## 8 Lesen Sie.

Hallo Miriam, bitte
– Zimmer aufräumen
– Brot und Butter einkaufen
– auch Hausaufgaben machen!!
– Papa anrufen
– nicht vor 18 Uhr fernsehen!
– um 9 Uhr ins Bett gehen!
Gruß Mama

**Was denkt Miriam? Schreiben Sie.**

!

O.K. Mama.
Ich räume mein Zimmer auf...............
Ich ...............................
Ich ...............................
Ich ...............................
Ich ...............................
Ich ...............................

B2

## 9 Was machen Sie im Deutschkurs? Ordnen Sie zu.

**1** hören und sprechen
**2** eine Tabelle ausfüllen
**3** Texte schreiben
**4** fragen und antworten
**5** Wörter markieren
**6** Wörter ergänzen
**7** hören und ankreuzen
**8** Fotos und Wörter zuordnen

A B C

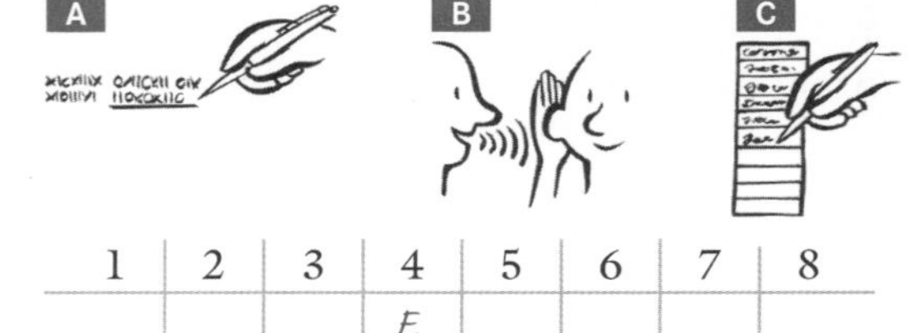

D

E

F

G

H

| 1 | 2 | 3 | 4 | 5 | 6 | 7 | 8 |
|---|---|---|---|---|---|---|---|
| | | | *E* | | | | |

B2

## 10 Antworten Sie.

*an/kreuzen*
*aus/füllen*
*zu/ordnen*

**a** ◆ Was machst du da?

▲ Ich ..................................................

**b** ◆ Und er? ▲ Er ..................................................

**c** ◆ Was macht ihr denn?

▲ Wir ..................................................

**d** ◆ Und was machen Martina und Olga?

▲ Sie ..................................................

B3

## 11 Was machen Sie gern? Was machen Sie nicht gern? Suchen Sie im Wörterbuch.

| gern | nicht gern |
|---|---|
| 1 .................................... | 1 .................................... |
| 2 .................................... | 2 .................................... |
| 3 .................................... | 3 .................................... |

**Schreiben Sie.**

| | |
|---|---|
| *Ich spiele gern Karten.* | *Ich stehe nicht gern früh auf.* |
| 1 .................................... | 1 .................................... |
| 2 .................................... | 2 .................................... |
| 3 .................................... | 3 .................................... |

## 12 Lesen Sie. Wie heißen die Tage?

modimidofrsaso

*Montag* ......... ......... ......... ......... ......... ......... .........

**Samstag: in Norddeutschland auch Sonnabend**

......*Wochenende*.........

## 13 Ergänzen Sie *um – am – von … bis.*

**a**
- ◆ Machst du *am*......... Sonntag das Frühstück?
- ● Ja, aber ich stehe früh auf.
- ◆ Wann?
- ● ......... acht Uhr.
- ◆ Was? ......... Sonntag möchte ich nicht ......... acht frühstücken.

**b**
- ■ Was machst du *am*......... Donnerstag?
- ▲ Ich habe ......... acht Uhr ......... zwölf Uhr Kurs. Warum fragst du?
- ■ Gehen wir einkaufen?
- ▲ Ja gern. Wann?
- ■ ......... zwei.

## 14 Ergänzen Sie.

Hallo John, ha........ Du .................. Samstag Zeit? ................ 3 Uhr komm....... Uli und Petra zum Kaffee. Komm........ Du auch? Und ............... Sonntag spiel........ wir Fußball, .................. 10.
Eva :–))

Hallo Eva, tut mir leid, ..................... Wochenende hab......... ich gar keine Zeit. ..................... Samstag mach......... ich einen Intensivkurs ..................... 9 ..................... 12 und ..................... 14 ..................... 18 Uhr. Und .................. Sonntag komm......... meine Mutter.
John :–((

## 15 Schreiben Sie Gespräche.

**a** wir – Donnerstag – Fußball? ● Wann? ● 17–18 Uhr ● Ja, gut. Bis Donnerstag!

- ■ *Spielen wir*.........
- ▲ .........
- ■ .........
- ▲ .........

**b** Tag, Frau Klein ● Freitag – Zeit? ● Warum? ● Mein Mann – Geburtstag ● Wir – eine Party ● Sie – auch? ● Sehr gerne. Wann? ● 18 Uhr

- ▲ *Tag, Frau Klein. Haben Sie*.........
- ■ .........
- ▲ .........
  .........
  .........
- ■ .........
- ▲ .........

D1 **16** **Ergänzen Sie die Tageszeiten.**

am ............ ............ ............

............ ............ ............

D4 **17** **Tinas Tag. Lesen Sie und schreiben Sie die Sätze anders.**

| | |
|---|---|
| Tina steht jeden Tag früh auf. | Jeden Tag steht Tina früh auf. |
| Sie macht am Morgen das Frühstück. | Am Morgen ... |
| Sie räumt am Vormittag die Wohnung auf. | ............ |
| Sie kauft dann im Supermarkt ein. | ............ |
| Sie kocht um halb eins das Mittagessen. | ............ |
| Sie arbeitet von 14 bis 18 Uhr im Laden. | ............ |
| Sie ist am Abend sehr müde. | ............ |

**Schreiben Sie die Sätze in Ihrer Sprache und vergleichen Sie.**

D4 Grammatik entdecken **18** **Saras Tag. Lesen Sie und markieren Sie.**

Sara geht am Vormittag in die Schule. Sie macht am Nachmittag Hausaufgaben.

Sie spielt dann ein bisschen. Sie geht um vier Uhr zum Tanzkurs.

Sie geht um neun Uhr ins Bett.

**Tragen Sie die Sätze ein.**

| | | | |
|---|---|---|---|
| Sara | geht | am Vormittag | |
| Am Nachmittag | | | |
| | | | |
| | | | |
| | | | |

**19** **Was machst du heute? Ergänzen Sie.**

a Am Morgen *frühstücke*...
b Am Mittag ...
c Von 15 Uhr bis 17 Uhr ...
d Um 19 Uhr ...
e Am Abend ...

| | |
|---|---|
| 10:00 | *lange frühstücken* |
| 11:00 | |
| 12:00 | *Mit Klaus essen gehen* |
| 13:00 | |
| 14:00 | |
| 15:00 | |
| 16:00 | *Fußball spielen* |
| 17:00 | |
| 18:00 | |
| 19:00 | *Kino mit Larissa* |
| 20:00 | |
| 21:00 | *früh ins Bett gehen!!!! ☺* |

**20** **Brunos Tag. Schreiben Sie.**

a Bruno – aufstehen – um fünf Uhr
b Von 7 bis 19 Uhr – er – im Laden – arbeiten
c Dann – er – den Laden – aufräumen
d Dann – die Kasse – er – machen
e Zu Hause – fernsehen – noch ein bisschen – er
f er – sehr müde – sein – Am Abend

*Bruno steht*

**21** **Notieren Sie im Lerntagebuch.** LERNTAGEBUCH

| *arbeiten* | *essen* | *fern/sehen* | *sprechen* |
|---|---|---|---|
| *ich arbeite* | *ich esse* | *ich sehe fern* | *ich spreche* |
| *du arbeitest* | *du isst* | *du siehst fern* | *du sprichst* |
| *er/sie arbeitet* | *er/sie …* | *er/sie …* | *er/sie …* |
| *Arbeitest du heute?* | *Isst du gern Obstkuchen?* | *…* | *…* |

→ Portfolio

Phonetik 30 **22** **Hören Sie und sprechen Sie nach.**

das Buch – die Bücher • mein Bruder – meine Brüder • das Frühstück • die Küche • das Gemüse • der Mann – die Männer • der Apfel – die Äpfel • der Käse • das Getränk • das Gespräch • hässlich • mein Sohn – meine Söhne • eine Tochter – drei Töchter • das Brot – die Brötchen • das Wort – die Wörter • schon – schön

31 **Hören Sie noch einmal und markieren Sie lang (*ü*, *ä*, *ö*) oder kurz (*ü*, *ä*, *ö*).**

Phonetik 32 **23** **Hören Sie und sprechen Sie nach.**

Bist du noch müde? • Frühstück um fünf? Nein, danke! • Ich hätte gern Käse. • Er geht spät ins Bett und er steht sehr spät auf. • Ich möchte bitte zwölf Brötchen. • Robert hört am Morgen Musik. • Sind die Möbel schön? – Nein, sie sind hässlich.

Phonetik 33 **24** **Sie schreiben *e*, aber Sie hören *ä*. Wo hören Sie *ä*? Kreuzen Sie an.**

meine Schwester ☐
zehn Meter ☐
sechzig Personen ☐
Sie sprechen gut Englisch. ☐
Das Bett ist gelb. ☐
Wie geht's? ☐
Essen wir jetzt etwas? ☐
Ich lebe in Erfurt. ☐
Kennst du meine Adresse? ☐
Lesen Sie bitte. ☐

E4

## 25 Lesen Sie das Fernsehprogramm und schreiben Sie die Uhrzeiten.

**20.00 Tagesschau** 15-979
**20.15 Winterfest der Volksmusik** 1-627-196
TIPP
Mit André Rieu, Stefanie Hertel & Stefan Mross, Karel Gott u.a.
Mod.: Carmen Nebel
**22.15 Tagesthemen** 4-799-863
**22.40 Moonraker – Streng geheim** 3-920-950
FILM ★★★
Actionfilm, GB/F 1979
Mit Roger Moore, Lois Chiles, Michel Lonsdale u.a.
Regie: Lewis Gilbert

**20.15 Unter Verdacht** 16:9
TIPP
Krimiserie 5-485-196
Eine Landpartie (2002)
Mit Senta Berger, Axel Milberg, Rudolf Krause
**21.45 heute-journal**
Nachrichten 3-929-047
**22.00 ZDF SPORTstudio**
Berichte 6-341-689
**23.15 Die Schöneberger-Show** 296-080
Zu Gast: Thomas Hermanns, Michael Mittermeyer, Alexander Mazza, Gabi Decker

**20.15 Wer wird Millionär?**
Quizshow 562-486
Mod.: Günther Jauch
**21.15 Echo 2003 – Der deutsche Musikpreis** 71-307-689
TIPP
Die herausragendsten und erfolgreichsten Leistungen nationaler und internationaler Pop-Künstler sowie nationaler Unternehmen und Manager des Musikgeschäfts
Moderation: Frauke Ludowig, Oliver Geißen

■ Um ..*acht Uhr*....... kommt die Tagesschau.
▲ Und was kommt am Abend?
■ Oh, um ..........................................................
kommt ein Actionfilm mit Roger Moore.
▲ Kommt auch „Wer wird Millionär"?
■ Ja, um .......................................................... .
▲ Und wann kommt das „heute-journal"?
■ Um .......................................................... und
dann um ............................ das Sportstudio.

*Um zwanzig Uhr*...... die „Tagesschau".
..........................................................................
der Actionfilm „Moonraker – Streng geheim".
Die Quizshow „Wer wird Millionär"
um ..........................................................................
Das „heute-journal" um ..................................
..........................................................................
und um ..................................................................
das „ZDF Sportstudio".

E Prüfung CD 3 34

## 26 Hören Sie drei Gespräche. Was ist richtig? Kreuzen Sie an: *a*, *b* oder *c*

1 Wann macht Timo seine Geburtstagsparty?

a ☐ Am Montag. b ☐ Am Donnerstag. c ☐ Am Freitag.

2 Wann gehen Christina und Andrea einkaufen?

a ☐ Um 1 Uhr. b ☐ Um 3 Uhr. c ☐ Um 6 Uhr.

3 Wo wohnt Frau Männlin?

a ☐ In der Müllerstraße. b ☐ In der Mühlenstraße. c ☐ In der Müllstraße.

Phonetik 35

## 27 Sprechen und Schreiben.

**a Hören Sie und markieren Sie *i, e, a, o, u* lang ( *i*, *e*, ... ) oder kurz ( *i*, *e*, ...).**

das Kind • das Kino • billig • am Mittwoch • am Dienstag • das Zimmer • sie sieht fern und er isst •
die Eltern • ein Meter zehn • das Bett • der Tee • schmecken • essen • kennen •
die Nacht • der Name • die Kasse • die Straße • der Mann • zwanzig Gramm •
das Wort • das Brot • am Donnerstag • ich komme • der Sohn • die Kartoffeln sind groß •
der Kurs • das Buch • die Nummer • der Stuhl • die Mutter • der Fußball • der Fluss

**b Ordnen Sie die Wörter.**

i (lang) Kino, Dienstag, sieht, ...........
e (lang) Meter, zehn, ...........
a (lang) ...........
o (lang) ...........
u (lang) ...........
i (kurz) Kind, billig, ...........
e (kurz) ...........
a (kurz) ...........
o (kurz) ...........
u (kurz) ...........

**c *i e a o u* lang oder *i e a o u* kurz ? Ordnen Sie zu.**

| schreiben | sprechen | schreiben | sprechen | schreiben | sprechen |
|---|---|---|---|---|---|
| i, i+e, i+eh | i (lang) | a, a+ß | ......... | u, u+h, u+ß | ......... |
| i, i+ll, i+tt, i+mm, i+ss | i (kurz) | a, a+ss, a+nn, a+mm | ......... | u, u+mm, u+tt, u+ss | ......... |
| e, e+h, e+e | ......... | o, o+h, o+ß | ......... | | |
| e, e+tt, e+ck, e+ss, e+nn | ......... | o, o+nn, o+mm, o+ff | ......... | | |

36

**d Hören Sie und ergänzen Sie. Hören Sie noch einmal und vergleichen Sie.**

1 ▲ M......chten Sie T.........? ■ Ja, g.......rn.

2 ▲ Wie ist .......re Adr......e? ■ Ludwigstr........e z.........n.

3 Tina macht j...........den T...........g das Fr...........st........... und k...........cht das M...........ag...........en.

4 F...........nf K...........lo Kart...........eln k...........sten v...........r Euro s...........chzig.

5 500 Gr........... K...........se, bitte.

6 Meine Fam...........lie ist s...........r gr........... Ich habe s...........ben K...........nder.

## Uhrzeit

Uhr die, -en ..........
Uhrzeit die, -en ..........
Viertelstunde die, -n ..........

Es ist ... (Uhr). ..........
Es ist halb ... ..........
Es ist Viertel vor/nach ... ..........

Es ist kurz vor/nach ... (Uhr). ..........
Es ist gleich ... (Uhr). ..........
Um ... Uhr. ..........
5 nach halb ... ..........

Wie spät ...? ..........

## Öffnungszeiten

Geschäft das, -e ..........
Geschäftszeit die, -en ..........
Öffnungszeit die, -en ..........
Sprechstunde die, -n ..........

geöffnet ..........

von ... (Uhr) bis ... (Uhr) ..........
Wann ...? ..........

## Der Tag

Tag der, -e ..........
Tageszeit die, -en ..........
Morgen der, - ..........
Vormittag der, -e ..........
Mittag der, -e ..........
Nachmittag der, -e ..........

Abend der, -e ..........
Nacht die, ¨-e ..........

am Morgen/Vormittag ..........
in der Nacht ..........
früh ..........
spät ..........

## Die Woche

Woche die, -n ..........
Montag der, -e ..........
Dienstag der, -e ..........
Mittwoch der, -e ..........
Donnerstag der, -e ..........
Freitag der, -e ..........
Samstag der, -e ..........
Sonntag der, -e ..........
am Montag/Dienstag ... ..........

jeder, jede, jedes ..........
jeden Montag ..........
jeden Morgen ..........
jeden Tag ..........

den ganzen Tag ..........
morgen ..........
morgens ..........
abends ..........

## Tagesablauf: Aktivitäten

arbeiten ..........
auf·räumen ..........
auf·stehen ..........
baden ..........
ein·kaufen ..........
essen, du isst, er isst ..........
fern·sehen, du siehst fern, er sieht fern ..........
Frühstück das ..........
frühstücken ..........
Fußball der, ¨e ..........
Fußball spielen ..........

Hausaufgabe die, -n ..........
Kindergarten der, ¨ ..........
Mittagessen das ..........
Musik die ..........
Musik hören ..........
Picknick das, -s ..........

bringen ..........
holen ..........
kochen ..........
gehen ..........
spazieren gehen ..........
zum Deutschkurs gehen ..........

## Weitere wichtige Wörter

Agentur die, -en ..........
Ansage die, -n ..........
Arbeit die ..........
Bahnhof der, ¨e ..........
Buch das, ¨er ..........
Friseur der, -e ..........
Friseursalon der, -s ..........
Fitnessstudio das, -s ..........
Geburtstag der, -e ..........
Kino das, -s ..........
Nachrichten die (Pl.) ..........
Notiz die, -en ..........
Praxis die, Praxen ..........
Arztpraxis die, Arztpraxen ..........
Schild das, -er ..........
Schule die, -n ..........
Tourist der, -en ..........
Information die, -en ..........

Touristeninformation die, -en ..........
Verabredung die, -en ..........

an·fangen, du fängst an, er fängt an ..........
an·rufen ..........
erzählen ..........
meinen ..........
(keine) Zeit haben ..........
planen ..........

endlich ..........
einfach ..........
erst ..........
müde ..........
offiziell ..........
privat ..........
wieder (mal wieder) ..........
wirklich ..........
warum ..........

# Wie ist denn das **Wetter? – Es regnet.**

A3

## 1 Wie ist das Wetter in Hamburg, München, Köln, Dresden? Ordnen Sie zu.

**A** Es regnet. Es sind sechs Grad.

**B** Es ist bewölkt.
Es sind plus fünf Grad.

**C** Die Sonne scheint, es ist kalt.
Es sind fünf Grad unter Null.

**D** Minus ein Grad und es schneit.

| | |
|---|---|
| 8° | (plus) acht Grad |
| -3° | minus drei Grad / drei Grad unter Null |

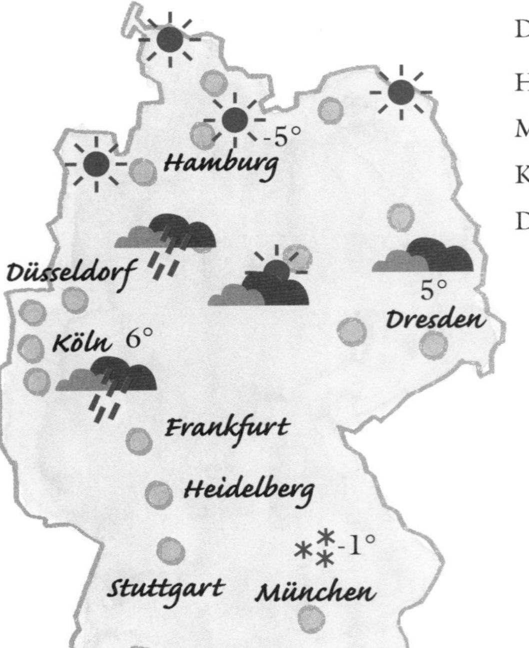


Das Wetter in

Hamburg: ..C..........

München: ..............

Köln: ..............

Dresden: ..............

A3
Schreibtraining

## 2 Grüße aus dem Urlaub. Schreiben Sie.

wir – zwei Wochen – Griechenland • Wetter – ☺ • ☀ • 35° • alles – sehr schön

ΑΡΙΣΤΟΤΕΛΕΙΟ ΠΑΝΕΠΙΣΤΗΜΙΟ 200
75 χρόνια € 0,59
2001
ΕΛΛΗΝΙΚΗ ΔΗΜΟΚΡΑΤΙΑ HELLAS

Hallo Ivana, ..........................................

wir sind ..........................................

..........................................

Das Wetter ..........................................

Die Sonne ..........................................

..........................................

Alles ..........................................

Liebe Grüße ..........................................

Dorothea ..........................................

**3** **Sehen Sie die Karte in Übung 1 an und antworten Sie.**

a Wo liegt Hamburg? Im *Norden*..................

b Wo liegt München? Im ..................

c Wo liegt Köln? Im ..................

d Wo liegt Dresden? Im ..................

e Wo regnet es? *In Köln*......... und ..................

f Wo scheint die Sonne? ..................

g Wo schneit es? ..................

h Wo ist es bewölkt? ..................

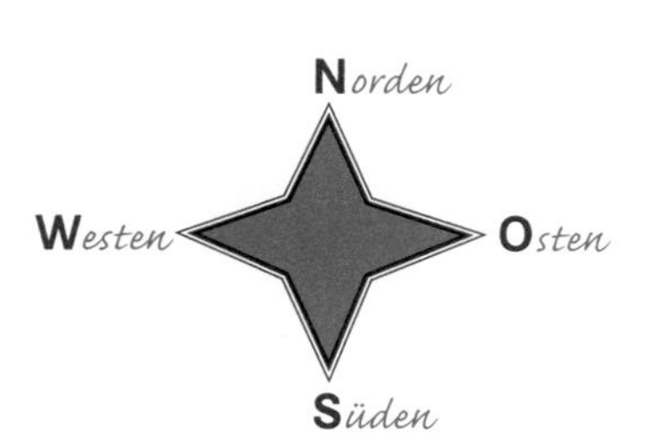


mmatik
decken

**4** **Ordnen Sie zu.**

Montag • ~~Norden~~ • Deutschland • 3 Uhr • München • Sommer • Vormittag • der Nacht • Winter • Abend • kurz vor sieben • der Türkei

| | | | |
|---|---|---|---|
| im | *Norden*, .................. | am | .................. |
| | .................. | | .................. |
| um | .................. | in | .................. |
| | .................. | | .................. |

**5** **Nein! Ergänzen Sie.**

● Das Wetter ist schön.

▲ Nein, es ist *nicht schön*.................. Es ist kalt.

● Nein, es ist *nicht*.................., es ist warm.

▲ Aber es regnet! Und es ist windig!

● Nein, es ..................

Und es ist auch .................. .

**6** **Ergänzen Sie *nicht – kein – keine*.**

a Das Wetter ist .................. schön. Wir machen .................. Picknick.

b Ich bin noch so müde. Ich möchte .................. Frühstück. Ich stehe .................. auf.

c ● Papa, spielst du mit mir?

▲ Nein, heute .................. mehr, es ist schon neun Uhr.

● Es ist noch .................. neun. Es ist erst Viertel vor neun.

d ◆ Kochst du gern?

▲ Nein, ich koche gar .................. gern.

Ich gehe nicht gerne spazieren.
Nein, danke. Ich möchte keine Banane.

e ■ Ihre Kinder sind aber schon groß!

▲ Das sind .................. meine Kinder. Ich habe .................. Kinder.

A4

## 7 Schreiben Sie.

Nein, heute ist Sonntag!
Wir machen ein Picknick.

zum Großmarkt fahren
im Laden arbeiten

*Heute fahre ich nicht zum Großmarkt.*
*Heute arbeite* ...
...

die Wohnung aufräumen
einkaufen gehen
Mittagessen kochen

*Heute* ...
...
*Ich gehe* ...
...
*Heute* ...
...

in die Schule gehen
Hausaufgaben machen
zum Tanzkurs gehen

*Heute* ...
...
*Ich* ...
...
*Heute* ...
...

A4 Schreibtraining

## 8 Tut mir leid, heute nicht!

### a Schreiben Sie die SMS.

Hallo Andrea,
wann kommst Du
heute Nachmittag?
Neven

~~kommen heute~~ • ~~Zeit haben~~ • kommen Samstag 15 Uhr

Hallo Neven,
tut mir leid, ich
...
...
...
...
Andrea

A4

### b Schreiben Sie, was Sie heute alles **nicht** machen.

...
...
...

mmatik
decken

**9** **Markieren Sie.**

Wer? / Was? und Wen? / Was?

a Wo ist der Salat? Hast du den Salat? — Nein, den Salat hat Mira.
b Wir brauchen noch Saft. — Den Saft kaufe ich.
c Wer kauft den Wein? — Hanna kauft den Wein und das Wasser.
d Kennst du den Bruder von Kim? — Nein, ich kenne nur die Schwester.
e Wie schmeckt der Kuchen? — Der Schokoladenkuchen schmeckt sehr gut.
f Verstehst du den Text? — Nein, der Text ist sehr schwer.
g Guten Abend. Ich möchte gern den Computertisch. — Tut mir leid, der Computertisch ist nicht mehr da.

Phonetik 37

**10** **Hast du den Salat?**

a **Hören Sie und sprechen Sie nach.**

◆ Nina, hast du den Salat? ▲ Nein, den Salat habe ich nicht, aber die Tomaten.
◆ Hast du die Cola? ▲ Nein, die Cola habe ich nicht, aber das Mineralwasser.

38

b **Fragen Sie weiter und antworten Sie wie in a. Hören Sie dann und vergleichen Sie.**

◆ Hast du das Brot? ▲ Nein, das Brot habe ich nicht, aber die Brötchen.

Brot? – ~~Brot~~ / Brötchen — Saft? – ~~Saft~~ / Wein — Obst? – ~~Obst~~ / Kuchen
Tee? – ~~Tee~~ / Kaffee — Milch? – ~~Milch~~ / Zucker — Wurst? – ~~Wurst~~ / Käse

c **Ergänzen Sie.**

| Was hat Nina im Einkaufswagen? | Was hat sie nicht? |
|---|---|
| *die Tomaten, das Mineralwasser, die Brötchen* | *den Salat, die Cola, ...* |

**11** **Was nimmst du mit? Schreiben Sie.**

*Flasche Mineralwasser*
*Brötchen*
*Apfel*
*Coca-Cola*
*Orangensaft*
*Banane*

*Handy*
*Sportschuhe*
*Badeanzug*
*Fußball*
*Radio*

● Was nimmst du denn alles mit?
▲ Ich nehme Getränke und Lebensmittel mit, also eine Flasche .................................... ,
ein ....................................
....................................

▲ Und du, was nimmst du mit?
● Also, ich ....................................
....................................
....................................
....................................

B3

## 12 Geburtstagsparty. Wer macht was? Schreiben Sie.

*Kuchen, Kaffee, Milch*
*Obst*
*Wein, Apfelsaft, Mineralwasser*
*Nudelsalat*
*Brot, Fleisch, Käse*

Kuchen – meine Mutter • Robert – Kaffee, Milch, Obst • Wein, Apfelsaft – ich • Mineralwasser – schon da • Nudelsalat – meine Mutter • du – Brot, Wurst, Käse?

*Meine Mutter macht den Kuchen, Robert kauft*

B3

## 13 Im Deutschkurs. Ergänzen Sie.

*der Satz*
*das Wort*
*das Gespräch*
*die Übung*

a Schreiben Sie bitte *den Satz / das Wort* ................ an die Tafel. (Satz, Wort)
b Erklären Sie bitte ........................................... (Wort)
c Ich möchte ........................................... noch einmal hören. (Gespräch)
d Ich verstehe ............................................................... nicht. (Wort, Übung)
e Wiederholen Sie bitte ........................................... (Satz)
f Buchstabieren Sie bitte ........................................... (Wort)
g Wir machen jetzt ........................................... drei. (Übung)
h Lesen Sie bitte ............................................................... noch einmal. (Text, Satz)

B3

## 14 Bilden Sie zusammengesetzte Wörter.

der Apfel + **der** Saft = **der** Apfelsaft

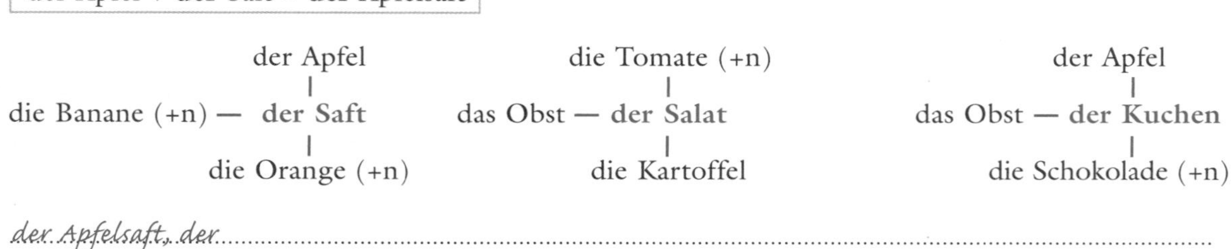


*der Apfelsaft, der*..............................................................................................

..............................................................................................

## 15 Ergänzen Sie.

**a**
- ● Was ist das denn?
- ■ Ein Auto.
- ● Nein, das ist ..*kein*.... Auto.
- ■ ...............! Das ist ein Auto.

**b**
- ● Und was ist das?
- ■ Ein Apfel.
- ● Nein, das ist ............................ Apfel.
- ■ .................! Das ist ein Apfel.

## 16 Ergänzen Sie *Ja – Nein – Doch*.

- ● Sag mal, schmeckt der Kuchen nicht?
- ■ ..............................., er schmeckt sehr gut.
- ● Ist der Kaffee schon kalt?
- ■ ..............................., er ist noch sehr warm. Hast du Zucker und Milch?
- ● ..............................., hier bitte.
- ■ Kommt Marion nicht?
- ● ..............................., sie hat keine Zeit.
- ■ Dann essen wir den Kuchen eben allein.

## 17 Ergänzen Sie *ein – eine – einen*.

- ● Was hast du für das Picknick?
- ■ *Ein*.................... Käsebrot, ..................... Apfel, zwei Bananen und ......................... Schokomilch.
- ● Ich habe zwei Wurstbrote. Hier hast du ........................ Wurstbrot, ich möchte gern ............................ Banane.

## 18 Ergänzen Sie *ein – einen – keinen*.

- ● Was möchten Sie zum Frühstück?
- ■ Ich hätte gern ......*ein*.......... Ei, ............................. Orangensaft, ...................................... Brötchen und ............................... Joghurt.
- ● Möchten Sie ....................................... Kaffee?
- ■ Nein danke, ...................................... Kaffee.
- ● Auch ....................................... Tee?
- ■ Nein, auch ....................................... Tee.

C4

## 19 Ergänzen Sie.

**a**
- ● Sagen Sie, haben Sie auch .......einen.................. Hund?
- ■ Ja, sicher habe ich ........................................ Hund.
- ● Ach, Sie haben ........................................ Hund.
- ■ Doch! Ich habe einen Hund.

**b**
- ● Sagen Sie, .................................................................. Fernseher?
- ■ Ja, natürlich ..........................................................................
- ● Ach, Sie haben ......................................................................
- ■ .........................! ......................................................................

**c**
- ● Haben Sie ........................................ Computer?
- ■ Ja, ..........................................................................................
- ● Ach, ........................................................................................
- ■ .........................! ................................................................

C4

## 20 Ergänzen Sie *einen – ein – eine – den – das – die*.

*Liebe Heike,*

*endlich habe ich .................. Wohnung! Sie ist klein: .................. Wohnzimmer, .................. Schlafzimmer, .................. Küche und .................. Bad. .................. Küche ist sehr klein. Ein paar Möbel habe ich auch schon: .................. Tisch, zwei Stühle, .................. Sofa, .................. Schrank und .................. Bett. .................. Sofa ist sehr alt – von meiner Schwester –, .................. Schrank und .................. Bett habe ich von meinen Eltern.*
*Ich hätte auch gerne noch .................. Lampe und .................. Fernseher. Aber zuerst brauche ich .................. Kühlschrank und einige Stühle.*
*Ich möchte nämlich eine Party machen und da möchten sicher alle auch mal sitzen.*
*Ach ja, ich möchte Dich zu meiner Party einladen: Freitag, 26. 9. – 19 Uhr – Hauptstraße 5.*

*Ich hoffe, Du kommst!*

*Bis dahin liebe Grüße*
*Ulrike*

Phonetik 39

**21** **Hören Sie und sprechen Sie nach. Achten Sie auf die Betonung /.**

lesen • schwimmen • tanzen • schlafen • Briefe schreiben • Freunde treffen •

lesen • Lesen Sie bitte. • Lesen Sie die Sätze.

kommen • Kommen Sie? • Kommen Sie bitte.

Einen Kaffee und einen Kuchen bitte. • Möchten Sie einen Tee?

Heute gehe ich nicht in die Schule.

**22** **Freizeitaktivitäten**

**a** **Ordnen Sie zu.**

[3] Musik hören [ ] fernsehen [ ] kochen [ ] Sport machen [ ] spazieren gehen [ ] tanzen [ ] ins Kino gehen [ ] Fahrrad fahren [ ] Briefe schreiben [ ] Freunde treffen [ ] spielen

**b** **Was braucht man für diese Freizeitaktivitäten? Arbeiten Sie mit dem Wörterbuch.**

schwimmen • im Internet surfen • wandern • Fußball spielen • Musik hören • tanzen

*1). Schwimmen: Man braucht einen Badeanzug.* ……

*2). im Internet* ……

D3

## 23 Was passt? Unterstreichen Sie.

a

Ich kochen/koche sehr gern.
Mein Mann kocht/kochst sehr gut
und er esse/isst auch sehr gern.

b

Wir tanze/tanzen gern.
Sandra tanzen/tanzt sehr gut.

c

Ich habt/habe nicht viel Freizeit,
ich arbeite/arbeitet sehr viel.
Mein Freund bin/ist immer müde und
schläft viel oder fahrt/fährt ein bisschen
Fahrrad.

d

Ich sieht/sehe viel fern.
Ich gehst/gehe nicht ins Kino,
das ist/sind teuer.

e

- ● Ich macht/mache sehr viel Sport. Jeden Samstag gehe/gehen ich schwimmen, dann fahren/fahre ich Fahrrad und dann ...
- ■ Sind Sie verheiratet?
- ● Ja.
- ■ Was macht/machst denn Ihr Mann?
- ● Er sehe/sieht fern oder er liest/lest oder er triffst/trifft Freunde.
- ■ Was machen Sie am Sonntag?
- ● Am Sonntag Vormittag spielt/spiele ich Volleyball und dann gehen/gehe wir spazieren.

D3

## 24 Und was machen Sie in der Freizeit? Schreiben Sie.

D4

## 25 Ergänzen Sie im Lerntagebuch.

LERNTAGEBUCH

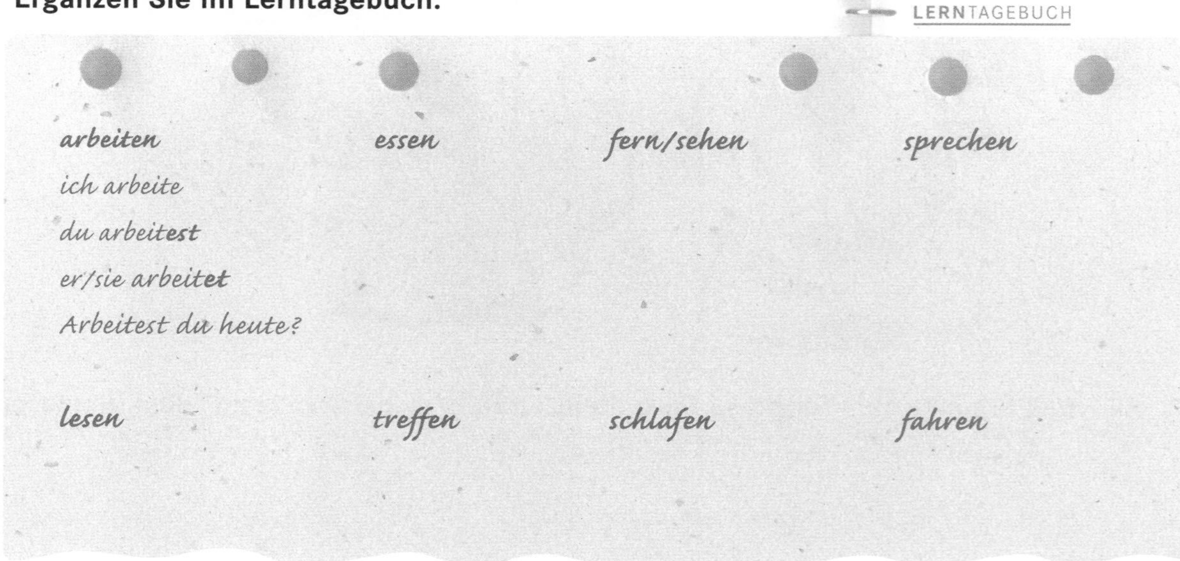


Portfolio

**26** **Ergänzen Sie.**

a ■ Und was macht ihr heute Abend?

● Ich arbeite und Hans ............................... wahrscheinlich ............................... . (fernsehen)

b ◆ ............................... du auch Russisch? (sprechen)

▼ Ja, ein bisschen.

c ● ............................... du auch Fisch? Der Fisch ist hier sehr gut. (essen)

■ Nein, ich ............................... nicht so gern Fisch. (essen)

d ▲ ............................... du nicht gern Fahrrad? (fahren)

● Doch, doch, sehr gern.

e ● Ich ............................... heute nach Hamburg. (fahren)

▲ Und ............................... du dort deine Freunde? (treffen)

Prüfung **27** **Lesen Sie die Texte. Sind die Sätze 1 – 5 richtig oder falsch? Kreuzen Sie an.**

Hallo liebe Leute,

ich mache eine große Party. Ich habe nicht Geburtstag – ich habe eine Wohnung!
Kommt bitte alle am Freitag, 26.9. in die Hauptstr. 5, so ab 19 Uhr. Wir feiern bis zum Frühstück!
Wer bringt einen Kuchen oder einen Salat mit?
Und vielleicht auch einen Stuhl?

Viele Grüße
Ulrike

**1** Ulrike feiert Geburtstag. ☐ richtig ☐ falsch
**2** Die Party ist am Freitag. ☐ richtig ☐ falsch

*Liebe Ulrike,*

*vielen Dank für die Einladung zu Deiner Party.*
*Ich komme sehr gerne, aber ich habe am Freitag immer von 10 bis 21 Uhr 30 einen Kurs.*
*Ich komme dann eben später. Ich habe leider keine Zeit für einen Kuchen oder Salat, aber ich helfe gern, am Samstag Vormittag die Wohnung aufzuräumen.*

*Ich freue mich*
*Christa*

**3** Christa kommt zur Party. ☐ richtig ☐ falsch
**4** Sie macht einen Kuchen. ☐ richtig ☐ falsch
**5** Christa räumt mit Ulrike am Samstag die Wohnung auf. ☐ richtig ☐ falsch

## Das Wetter

Grad das ..........
Regen der ..........
Sonne die ..........
Temperatur die, -en ..........
Wetter das ..........
Wind der, -e ..........

regnen ..........
scheinen ..........
schneien ..........

bewölkt ..........
Es ist bewölkt. ..........
Es sind 9 bis 14 Grad. ..........

kalt ..........
schlecht ..........
schön ..........
sonnig ..........
warm ..........
windig ..........

maximal ..........
minimal ..........
minus ..........

Wie viel Grad sind es in ...? ..........
Die Temperaturen sinken/steigen ..........

## Hobbys

Brief der, -e ..........
Fahrrad das, ¨-er ..........
Freizeit die ..........
Hobby das, -s ..........
Sport der ..........

Briefe schreiben ..........
Fahrrad fahren ..........
fahren, du fährst, er fährt ..........

Freunde treffen ..........
treffen, du triffst, er trifft ..........
grillen
schlafen, du schläfst, er schläft ..........
schwimmen ..........
Sport machen ..........
tanzen ..........
tanzen gehen ..........

## Vorlieben

Mein Lieblings- ..........
Mein Lieblingsbuch/-film ... ..........

Film der, -e ..........

## Himmelsrichtungen

Norden der ..........
Süden der ..........
Osten der ..........

Westen der ..........
im Norden/Süden ... ..........

## Jahreszeiten

| | | | |
|---|---|---|---|
| Jahreszeit die, -en | ........ | Herbst der | ........ |
| Frühling der | ........ | Winter der | ........ |
| Sommer der | ........ | im Frühling/Sommer ... | ........ |

## Weitere wichtige Wörter

| | |
|---|---|
| Club der, -s | ........ |
| Cola die, -s | ........ |
| Eis das | ........ |
| Essen das | ........ |
| Garten der, ¨ | ........ |
| Handy das, -s | ........ |
| Hund der, -e | ........ |
| Gitarre die, -n | ........ |
| Karte die, -n | ........ |
| Kugelschreiber der, - | ........ |
| Park der, -s | ........ |
| Picknick das, -s | ........ |
| Reise die, -n | ........ |
| Salat der, -e | ........ |
| Schokolade die | ........ |
| Speisekarte die, -n | ........ |
| Welt die | |
| dabei haben | ........ |
| essen, du isst, er isst | ........ |
| geben, du gibst, er gibt | ........ |
| gucken | ........ |
| Guck mal! | ........ |
| kennen | ........ |
| mit·bringen | ........ |
| mit·nehmen, du nimmst mit, er nimmt mit | ........ |
| nehmen, du nimmst, er nimmt | ........ |
| sammeln | ........ |
| trinken | ........ |
| vergessen, du vergisst, er vergisst | ........ |
| allein | ........ |
| dumm | ........ |
| interessant | ........ |
| stark | ........ |
| also | ........ |
| alles | ........ |
| leider | ........ |
| meist | ........ |
| nämlich | ........ |
| überall | ........ |
| zwischen | ........ |
| circa | ........ |
| doch | ........ |
| folgend | ........ |
| gar nicht | ........ |

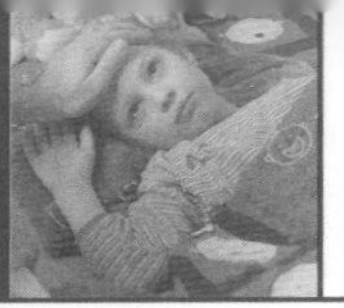

# Ich **kann** heute nicht in die Schule **gehen**.

A2

## 1 Ordnen Sie zu.

| | |
|---|---|
| | ich den Text noch einmal hören? |
| Kannst | Sie bitte um drei Uhr anrufen? |
| Kann | du bitte das Wort erklären? |
| Können | ihr bitte das Frühstück machen? |
| Könnt | wir Ihnen helfen? |
| | Selma schon gut Deutsch? |

(Kannst — du bitte das Wort erklären?)

Betreff: Grillparty

Am Freitag möchten wir eine Grillparty machen.
Können Sie auch kommen?
Wir möchten auch Musik machen.
Sergej kann sehr gut Gitarre spielen.
Können Sie auch ein Instrument spielen?

A2 Grammatik entdecken

## 2 Tragen Sie die Sätze ein.

| | | | |
|---|---|---|---|
| *Am Freitag* | *möchten* | *wir eine Grillparty* | *machen* . |
| | ........ | ........ | ........ ? |
| ........ | ........ | ........ | ........ . |
| ........ | ........ | ........ | ........ . |
| | ........ | ........ | ........ ? |

**Schreiben Sie die Sätze in Ihrer Sprache und vergleichen Sie.**

A2

## 3 Ergänzen Sie die Gespräche.

Sie ~~kann nicht kommen, sie ist~~ krank. • Kann ich bitte das Wörterbuch haben? • Guten Tag. Kann ich bitte Herrn Löffler sprechen? • Können Sie auch Englisch? • Kann ich Ihnen helfen? • Kannst du das bitte noch einmal sagen? • Kann ich bitte Zucker und Milch haben?

**a** ● Wo ist Nadja heute?
■ *Sie kann nicht kommen, sie ist krank.*

**b** ● Ich verstehe das Wort hier nicht. Du?
■ Nein, ich auch nicht.
● ........

**c** ● Edith-Stein-Schule, Schmidt, guten Tag.
■ ........
● Einen Moment, bitte.

**d** ● Oje, ich verstehe gar nichts.
■ ........
● Ja bitte. Ich kann das Formular nicht ausfüllen.

**e** ● Was sprechen Sie?
■ Italienisch und Deutsch.
● ........

**f** ● Möchtest du einen Kaffee?
■ Ja, gerne ........

**g** ● Wie bitte? ........

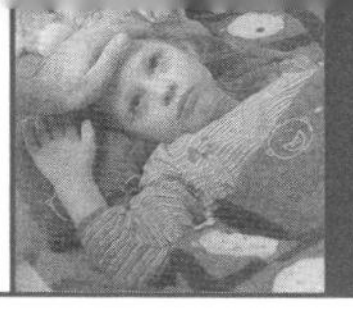

**4** **Ich kann nicht ..., aber mein Freund Udo kann ... Schreiben Sie.**

| Ich | Udo |
|---|---|
| Englisch – nicht gut sprechen ● Deutsch – auch nicht so gut sprechen ● tanzen – gar nicht ● kochen – ein bisschen | Englisch – sehr gut sprechen ● verstehen – alles ● tanzen – sehr gut ● kochen – super |

Ja, Udo ist super!

a Ich *kann nicht gut Englisch sprechen,* ............ *aber mein Freund Udo kann sehr gut* ............

b Ich ............ *aber Udo* ............

c Ich ............ *aber Udo* ............

d Ich ............ *aber Udo* ............

**5** **Schreiben Sie Sätze.**

a ich/nicht verstehen/Sie/können/. — *Ich kann Sie nicht verstehen. Können Sie* ............
Sie/sprechen/können/bitte langsam/? ............

b ● Fahrrad fahren/können/am Samstag/wir/? ● ............
............
■ am Samstag/ich/können/nicht/. ■ ............
du/am Sonntag/können/? ............

c ▲ am Freitag/machen/eine Party/ich/. ▲ ............
ihr/mitbringen/einen Salat/können/? ............
............
◆ wir/machen/auch einen Kuchen/können/? ◆ ............
............

d Sie/können/erklären/das Wort/bitte/? ............
............

e Manuel/heute nicht/gehen/in die Schule/ ............
können/. ............

Phonetik 40 **6** **Hören Sie und sprechen Sie nach.**

die Schule ● das Spiel ● die Stadt ● die Schweiz ● die Straße ●
Wie schreibt man das? ● Meine Schwester spricht Spanisch. ● Spielen wir? ●
Sprechen Sie bitte langsam! ● Entschuldigung. Ich verstehe das nicht.

**Wo hören Sie „sch"? Markieren Sie:** schreiben spielen

Phonetik 41 **7** **Hören Sie und ergänzen Sie *sch* oder *s*.**

a Gehen wir ........pazieren? b Wie ........pät ist es? c Das ........timmt nicht.
d Buch........tabieren Sie bitte das Wort. e Das ........meckt gut. f Er ist ein ........portler.
g Ich brauche eine Wa........ma........ine und einen Kühl........rank.

B2 Grammatik entdecken

## 8 Lesen Sie und unterstreichen Sie die Formen von *wollen*.

**a**

**b**

**c**

**Füllen Sie die Tabelle aus.**

| **wollen** | | | | | |
|---|---|---|---|---|---|
| ich | ............ | du | ............ | er/sie | ............ |
| wir | ............ | ihr | ............ | sie/Sie | ............ |

B2

## 9 Ergänzen Sie *wollen*.

**a**

**c**

**b**

**d**

## 10 Ergänzen Sie die Gespräche.

Ich will aber nichts essen! • ~~Ich möchte nichts essen.~~ • Möchtest du auch einen Kuchen? • Nein! Ich will jetzt fernsehen! • Jetzt nicht. Ich möchte gern fernsehen. • Möchtest/Willst du nicht mitmachen? • Ich will im Sommer einen Französischkurs machen. • Wie viel möchtest/willst du denn? • Ich möchte so gern mit Sandra ins Kino gehen.

**a**
- ● Kommst du bitte, das Mittagessen ist fertig.
- ■ *Ich möchte nichts essen.* ...............
- ● Wir essen aber jetzt!
- ■ ...............

**b**
- ▲ Gehen wir ein bisschen spazieren?
- ◆ ...............
- ▲ Nur eine Stunde. Bitte!
- ◆ ...............

**c**
- ● Ich mache jetzt einen Italienischkurs. ...............
- ■ Nein. ...............

**d**
- ● Trinkst du eine Tasse Kaffee?
- ■ Ja, gern.
- ● ...............
- ■ Nein, danke.

**e**
- ▲ Du Papa! ............... Aber ich habe kein Geld mehr, nur noch 50 Cent.
- ● Was, du hast schon wieder kein Geld mehr? Na ja! Gut! ...............

mmatik
decken

### Füllen Sie die Tabelle aus.

**möchten**

| | | |
|---|---|---|
| ich ............... | du ............... | er/sie ............... |
| wir ............... | ihr ............... | sie/Sie ............... |

## 11 Was sagen die Personen? Schreiben Sie Gespräche.

Ich möchte ... • Ich will ... • Was möchten Sie?

# Du **hast** gestern nichts **gelernt.**

C3 **12** **Ergänzen Sie.**

| | | | |
|---|---|---|---|
| | gearbeitet | *arbeiten* | Ich *habe* gestern viel *gearbeitet*. |
| ich habe | gelernt | ........ | Wo ........ du Deutsch ........? |
| du hast | gegessen | ........ | Er ........ vier Brötchen ........ . |
| er/sie hat | gehört | ........ | Sie ........ Musik ........ . |
| wir haben | gelesen | ........ | Wir ........ den Text nicht ........ . |
| ihr habt | gemacht | ........ | ........ ihr die Hausaufgaben ........? |
| sie/Sie haben | geschlafen | ........ | Sie ........ aber lange ........ . |
| | geschrieben | ........ | Boris und Klara ........ eine E-Mail ........ . |
| | gespielt | ........ | ........ Sie Lotto ........? |

C3 **13** **Ordnen Sie zu.**

~~antworten~~ • ~~fragen~~ • essen • arbeiten • hören • kaufen • kochen • kosten • leben • lernen • lesen • machen • sagen • schlafen • schreiben • spielen • treffen • wohnen • suchen • finden

gefragt • gesagt • gearbeitet • ~~geantwortet~~ • gekocht • gehört • gelebt • gemacht • gelesen • gespielt • geschlafen • gekauft • gekostet • gesucht • gewohnt • geschrieben • gelernt • getroffen • gegessen • gefunden

*antworten – geantwortet, fragen –*

C3 **14** **Machen Sie eine Tabelle im Lerntagebuch. Ordnen Sie die Wörter aus Übung 13.**

LERNTAGEBUCH

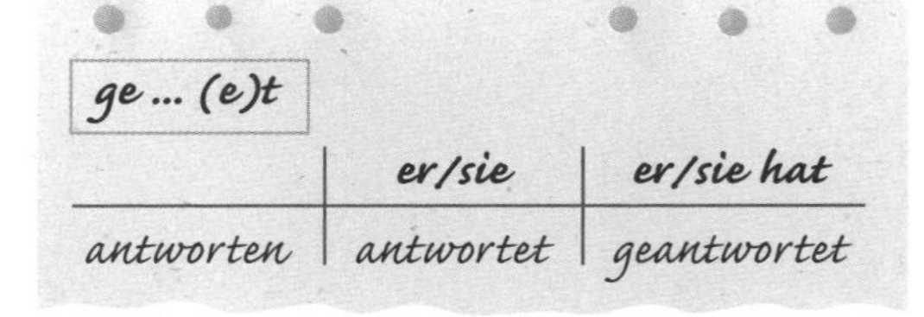

*ge ... (e)t*

| | er/sie | er/sie hat |
|---|---|---|
| *antworten* | *antwortet* | *geantwortet* |

*ge ... en*

| | er/sie | er/sie hat |
|---|---|---|
| *essen* | *isst* | *gegessen* |

→ Portfolio

C3 **15** **Ergänzen Sie.**

lernen • schreiben • ~~kaufen~~ • schlafen • treffen • kochen • sagen • lesen • essen

**a** ■ Ich gehe in den Supermarkt. Wir brauchen ...
▲ Ich *habe* doch schon alles *gekauft*.

**b** ■ Kinder, kommt zum Mittagessen! ▲ Was ........ du heute ........?

**c** ■ Sprichst du Englisch? ▲ Ja, ich ........ es in der Schule ........ .

**d** ■ Ist das Buch gut? ▲ Ich weiß es nicht. Ich ........ es nicht ........ .

**e** ■ Wie geht es Miriam? ▲ Ich weiß es nicht. Ich ........ sie lange nicht ........ .

**f** ■ Hast du etwas von Marc gehört? ▲ Ja, er ........ gestern eine E-Mail ........ .

**g** ■ Du siehst müde aus. ▲ Ich ........ heute Nacht nicht viel ........ .

**h** ■ Möchtest du einen Kuchen? ▲ Nein danke, ich ........ schon zwei Brötchen ........ .

**i** ■ Was macht Lea am Wochenende? ▲ Ich weiß es nicht. Sie ........ nichts ........ .

**16** **Lesen Sie und schreiben Sie.**

Was macht ihr am Sonntag?

Am Sonntag schlafen wir lange. Dann lese ich Zeitung und ich lerne ein bisschen Deutsch. Jens hört Musik und kocht das Mittagessen. Am Nachmittag machen wir Sport. Am Abend spielen wir mit Freunden Karten.

Was habt ihr am Sonntag gemacht?

*Am Sonntag haben wir lange geschlafen.* ..................

..................

..................

..................

..................

..................

**17** **Was haben Sie letzten Sonntag gemacht? Machen Sie Notizen und schreiben Sie.**

*mit Cem frühstücken*

*Am Sonntag habe ich mit Cem lange gefrühstückt. Dann …*

btraining

**18** **Lesen Sie und antworten Sie.**

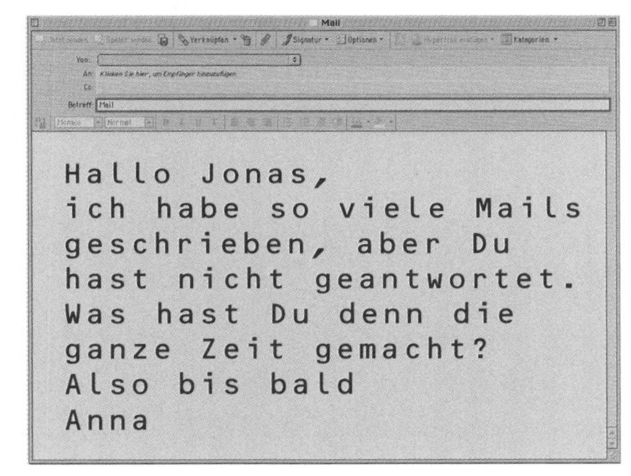
Hallo Jonas,
ich habe so viele Mails geschrieben, aber Du hast nicht geantwortet. Was hast Du denn die ganze Zeit gemacht?
Also bis bald
Anna

viel arbeiten • neue Wohnung suchen • schöne Wohnung finden • viele Möbel kaufen • Kurs machen • Spanisch lernen • im Sommer nach Spanien fahren wollen

Mail

Von:
An: Klicken Sie hier, um Empfänger hinzuzufügen
Cc:
Betreff: Mail

Hallo Anna,
ja, das ist richtig, ich habe lange nicht geschrieben.
*Ich habe viel* ..................
..................
..................
..................
..................
..................
..................
..................
..................

Ich schreibe bald mehr.
Jonas

D3

## 19 Ergänzen Sie.

| | | | |
|---|---|---|---|
| ich bin | gegangen | ......*gehen*..... | Ich ............. heute nicht in die Schule ............................. . |
| du bist | | | ................. du gestern in die Schule ............................. ? |
| er/sie ist | gefahren | ..................... | Sie ................... nach Berlin ............................. . |
| wir sind | | | Wir ................... am Sonntag Fahrrad ............................. . |
| ihr seid | gekommen | ..................... | Wann ................ ihr nach Deutschland ............................. ? |
| sie/Sie sind | | | Meine Eltern ................. aus Russland ............................. . |

D3

## 20 Ergänzen Sie die Tabelle im Lerntagebuch.

LERNTAGEBUCH

*ge ... en*

| | *er/sie* | *er/sie ist* |
|---|---|---|
| *fahren* | *fährt* | *gefahren* |
| ... | ... | ... |

→ Portfolio

D3

## 21 Ergänzen Sie *haben* oder *sein*.

▲ Du bist so müde. Was ...*hast*...... du gestern gemacht?

■ Am Nachmittag .............. Maria gekommen und wir .............. Fahrrad gefahren. Wir .............. bei Mario eine Pizza gegessen und dann .............. wir nach Hause gefahren. Mit Luisa und Frederic .............. wir noch Wörter gelernt. Um elf Uhr .............. Maria nach Hause gegangen und ich ............... noch ein bisschen Musik gehört.

▲ Du ............... aber sicher wieder spät ins Bett gegangen.

D3

## 22 Schreiben Sie Sätze.

**a** Sara / nicht in die Schule / gehen / wollen / heute .....*Sara will heute*..............................

**b** kein Diktat / Sie / schreiben / wollen ..............................

**c** gestern / Sie / nichts lernen / haben ...*Sie hat*..............................

**d** sie / sein / Am Mittag / fahren / mit Mama in den Supermarkt ..............................

..............................

**e** Dann / kommen / Katja / sein ..............................

**f** spazieren gehen / Sara / sein / mit Niko ..............................

**g** Sara / spielen / Am Abend / haben / mit Schnuffi und Poppel ..............................

..............................

**h** Sie / keine Hausaufgaben / machen / haben ..............................

..............................

mmatik
decken **23** Markieren Sie die Sätze und tragen Sie sie ein.

Mein Freund heißt Stephan | er hat vier Jahre in Frankreich gearbeitet jetzt möchte er wieder in Deutschland leben er hat eine Wohnung in Köln gefunden Stephan spielt sehr gut Fußball er will in einem Club spielen

| | | | |
|---|---|---|---|
| Mein Freund | heißt | Stephan. | |
| | | | |
| | | | |
| | | | |
| | | | |
| | | | |

Projekt **24** **Der 1. Schultag. Machen Sie eine Wandzeitung.**

Der 1. Schultag

*Zum 1. Schultag gehört natürlich die Schultüte. Viele Mütter und Kinder machen sie selbst.*

Prüfung **25** **Schreiben Sie an Ihre Kursleiterin / Ihren Kursleiter.**

**a** Sie können nicht zum Unterricht kommen.

**b** Ihr Kind kann nicht zum Unterricht kommen.

am Montag / Dienstag / … nicht zum Unterricht/ einen Termin beim Arzt / Kind ist krank …

(Ihre Adresse)

1.3.20..

Liebe Frau … / Lieber Herr … /
Liebe … / Lieber …

…

Viele Grüße / Herzliche Grüße

…

## Schule

Gruppe die, -n
Klasse die, -n
Lehrer der, -
Lehrerin die, -nen
Schuljahr das, -e
Schulzeitung die, -en
Übung die, -en
Unterricht der
Wahl die
einen Wahlkurs besuchen
lernen

## krank sein

Arzt der, ¨e
zum Arzt gehen
Fieber das
Fieber haben
krank
krank sein
Gute Besserung.
Besserung die

## Weitere wichtige Wörter

Ausflug der, ¨e
Bus der, -se
Fotografie die, -n
Gruß der, ¨e
Interview das, -s
Junge der, -n
Kommunikation die
Mädchen das, -
Politik die
Problem das, -e
Satz der, ¨e
Schwimmbad das, ¨er
See der, -n
Tanz der, ¨e
Theater das, -
Wochenende das, -n
Zeitung die, -en
können, ich kann, er kann, hat gekonnt
malen
mit·kommen
reiten
riechen
teil·nehmen, du nimmst teil, er nimmt teil
wollen, ich will, er will, er hat gewollt
freundlich
positiv
negativ
schnell
unglaublich

| | |
|---|---|
| wahr | ..................... |
| danach | ..................... |
| diesmal | ..................... |
| gestern | ..................... |
| hoffentlich | ..................... |
| nichts | ..................... |
| sicher | ..................... |
| zusammen | ..................... |
| Mit freundlichen Grüßen | ..................... |
| nach Hause | |
| nach Hause kommen | ..................... |

## Welche Wörter möchten Sie noch lernen?

# *Du* oder *Sie*?

**1** **Sehen Sie die Bilder an. Was meinen Sie? Was sagt Nurhan: *du* oder *Sie*? Kreuzen Sie an.**

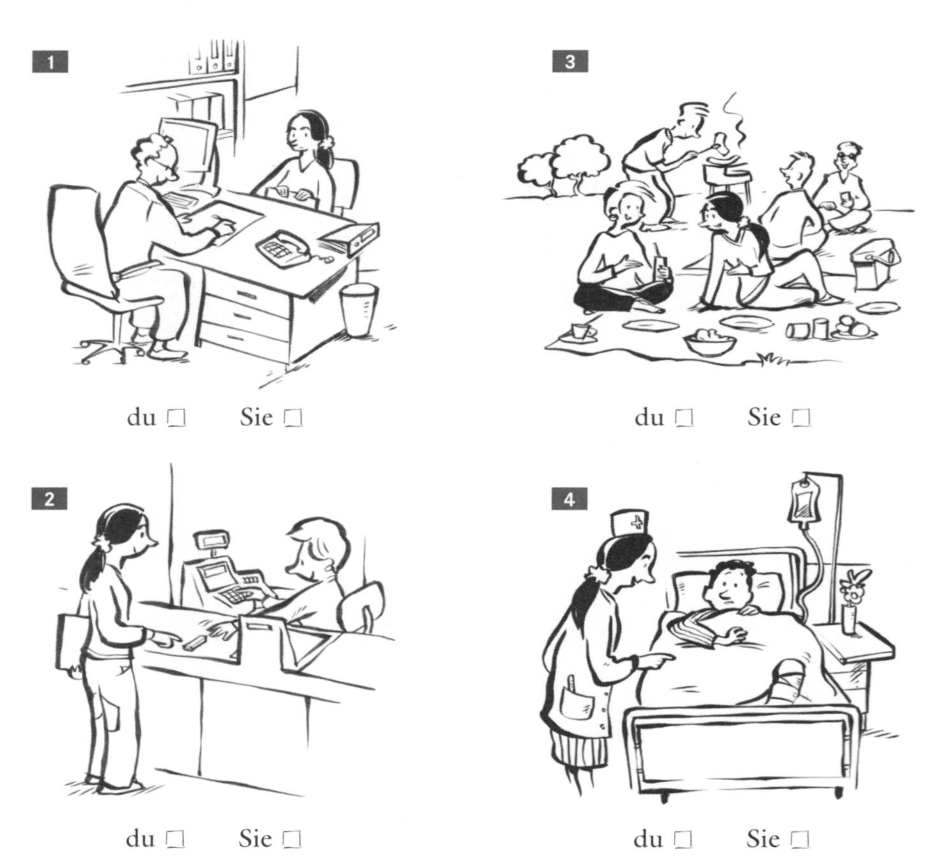

1 du ☐ Sie ☐

3 du ☐ Sie ☐

2 du ☐ Sie ☐

4 du ☐ Sie ☐

CD 3 42

**2** **Hören Sie die Gespräche und vergleichen Sie.**

**3** **Spielen Sie die Gespräche.**

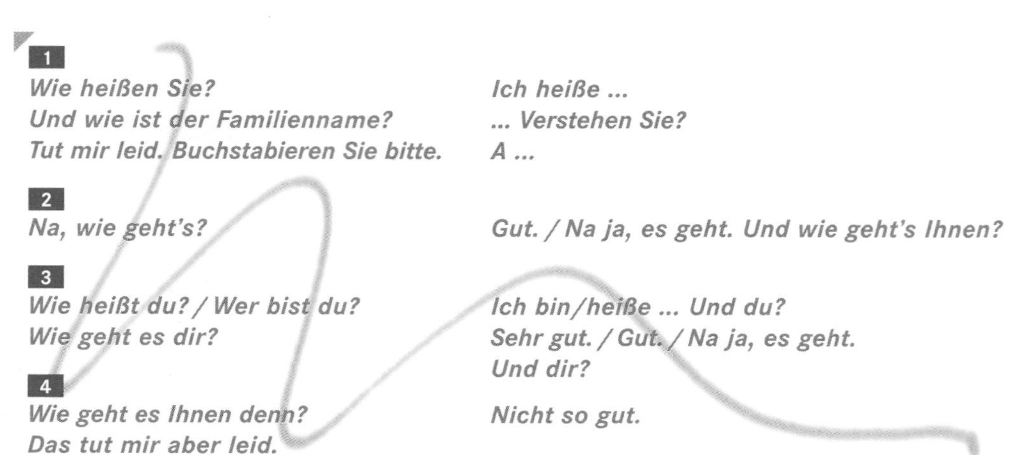

**1**

| | |
|---|---|
| *Wie heißen Sie?* | *Ich heiße ...* |
| *Und wie ist der Familienname?* | *... Verstehen Sie?* |
| *Tut mir leid. Buchstabieren Sie bitte.* | *A ...* |

**2**

| | |
|---|---|
| *Na, wie geht's?* | *Gut. / Na ja, es geht. Und wie geht's Ihnen?* |

**3**

| | |
|---|---|
| *Wie heißt du? / Wer bist du?* | *Ich bin/heiße ... Und du?* |
| *Wie geht es dir?* | *Sehr gut. / Gut. / Na ja, es geht.*<br>*Und dir?* |

**4**

| | |
|---|---|
| *Wie geht es Ihnen denn?* | *Nicht so gut.* |
| *Das tut mir aber leid.* | |

**1** **In der Stadtbibliothek:**
**Luisa Olmedo meldet ihre Tochter Marta in der Stadtbibliothek an. Füllen Sie das Formular aus.**

**Schülerausweis**

Erich-Kästner-Schule Glückstadt
Klasse 3a
**Marta Campillo Olmedo**
Kieselweg 12
25348 Glückstadt
Geburtsdatum: 18.07.2001
Geburtsort: Zaragoza, Spanien

## Stadtbibliothek

**Anmeldeschein für Kinder und Jugendliche unter 18 Jahren**

Ich, *Luisa Olmedo*
(Vor- und Nachname des/der Erziehungsberechtigten)
erlaube meinem Sohn / meiner Tochter:

Familienname: *Campillo Olmedo*
Vorname:
☐ weiblich ☐ männlich
Nationalität: *spanisch*
Geburtsdatum: *2001*
Straße: Hausnummer:
PLZ, Ort:

folgende Medien aus der Stadtbibliothek zu entleihen:

[x] Bücher, Zeitschriften, Literatur-CDs, Spiele
[x] Videos, DVDs, CDs, Kassetten, CD-ROMs

Datum ________ *Luisa Olmedo*
Unterschrift des/der Erziehungsberechtigten

Buch

Zeitschrift

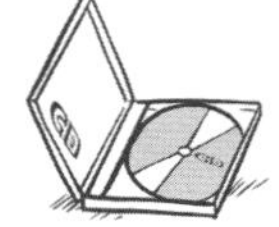

CD

Kassette

Spiel

Video

DVD

CD-ROM

→ PROJEKT

# Eine Produktinformation verstehen

**1** **Lale liest die Produktinformationen. Was ist richtig? Kreuzen Sie an.**

**a**

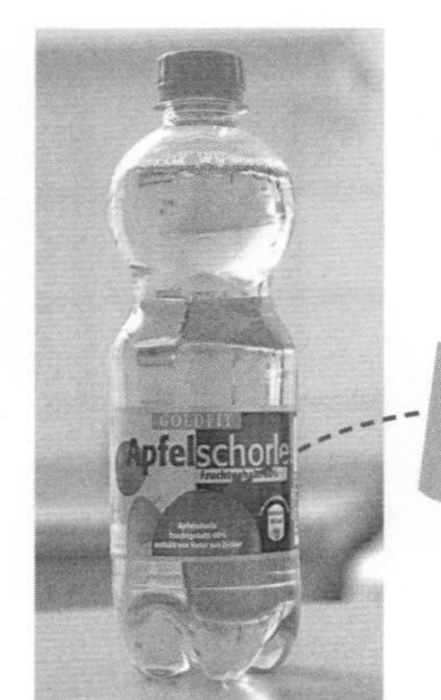


kühl lagern

☐ 

☐ 

**b**

mindestens haltbar bis 12/2012

☐ 

☐ 

**2** **Lesen Sie die Produktinformation und ordnen Sie zu.**

> ***Französischer Weichkäse***
>
> aus pasteurisierter Kuhmilch, 60 % Fett i.Tr. Kühl lagern!
>
> Gekühlt mindestens haltbar bis 18/04/20.. | Nettogewicht 200 g
>
> Hergestellt in Frankreich für Lactalis Deutschland GmbH

| | | |
|---|---|---|
| a | Der Käse ist aus | mindestens bis April haltbar. |
| b | Der Käse ist | 200 Gramm Käse. |
| c | Lale lagert den Käse | Milch. |
| d | In der Packung sind | Frankreich. |
| e | Der Käse kommt aus | im Kühlschrank. |

PROJEKT

**1** **Vivian möchte eine asiatische Gemüse-Kokos-Suppe machen. Was braucht sie und wie viel? Notieren Sie die Menge.**

**Asiatische Gemüse-Kokos-Suppe**
für 4 Personen

1 TL Currypulver
1 EL Sojasoße
500 g gemischtes Asia-Gemüse
2 Dosen Kokosmilch

**2** **Was kostet die Bestellung von Vivian? Kreuzen Sie an.**

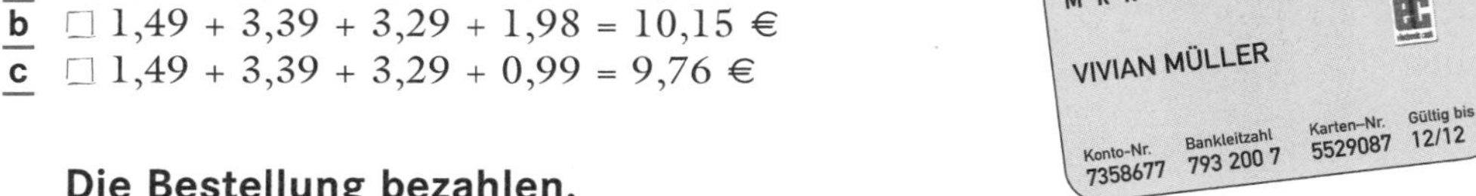

a ☐ 1,49 + 3,29 + 2,89 + 1,98 = 9,65 €
b ☐ 1,49 + 3,39 + 3,29 + 1,98 = 10,15 €
c ☐ 1,49 + 3,39 + 3,29 + 0,99 = 9,76 €



**3** **Die Bestellung bezahlen.**
**Vivian bezahlt von ihrem Konto. Füllen Sie das Internet-Formular aus.**

**Bitte wählen Sie eine Zahlungsmethode**
**Zahlungsweise**

Kreditkarte ◎ VISA Card ◎ Master Card ◎ American Express

◉ Bankeinzug

Bank: MKK-Bank
Bankleitzahl: 
Kontonummer: 
Kontoinhaber: 

# Eine Hausordnung verstehen

## 1 Sehen Sie das Bild an.

**a** Wo ist ... ? Ordnen Sie zu.

das Treppenhaus ● ein Fenster ● eine Tür ● der Spielplatz

1 ..............................

2 ..............................

3 ..............................

4 ..............................

**b** Ordnen Sie die Sätze dem Bild zu.

- Ein Hund spielt. [b]
- Ein Mann wäscht ein Auto. [ ]
- Ein Mann grillt. [ ]
- Eine Frau macht Musik. [ ]
- Die Haustür ist offen. [ ]

## 2 Sehen Sie den Text an. Welche Information finden Sie? Kreuzen Sie an.

- [ ] Wie hoch ist die Miete?
- [ ] Wer wohnt in dem Haus?
- [ ] Was ist in dem Haus erlaubt ☺, was verboten ☹?

### Hausordnung

**Lärm**
Von 13.00 – 15.00 Uhr und 22.00 – 6.00 Uhr: bitte Ruhe! Keine laute Musik. Radios, TV usw. auf Zimmerlautstärke spielen.

**Sicherheit**
Haus- und Kellertüren, Treppenhausfenster bitte von 22.00 – 6.00 Uhr schließen. Grillen auf den Balkonen ist nicht erlaubt.

**Fahrzeuge**
Autowaschen und Ölwechsel sind nicht erlaubt.

**Haustiere**
sind auf dem Spielplatz und auf dem Rasen nicht erlaubt.

## 3 Lesen Sie die Hausordnung und sehen Sie das Bild in Aufgabe 1 an. Es ist 16.00 Uhr. Ist das erlaubt? Kreuzen Sie an.

| | Bild a | Bild b | Bild c | Bild d | Bild e |
|---|---|---|---|---|---|
| ja | | | | | |
| nein | | | | | |

→ PROJEKT

## 1 Ben hat eine neue Wohnung

**a** Lesen Sie die Anzeige und den Mietvertrag.
Was kostet die Wohnung?
Ergänzen Sie.

**Apartment, 36 m², großer Wohnraum, neue Küche, 440,- €, Nebenkosten 60,- €, 3 Monatsmieten Kaution, Tel. 23 75 95**

§ 3 Miete und Nebenkosten

1. Die Miete beträgt monatlich für die Wohnung (Kaltmiete) .......... €
2. Nebenkosten (inkl. Heizung, Wasser) ....60.... €

Gesamt monatlich für die Wohnung (Warmmiete) .......... €

**b** Was zahlt Ben jeden Monat für seine Wohnung?
Lesen Sie den Kontoauszug und sprechen Sie.

| | |
|---|---|
| Miete 01 | 500,- |
| Stadtwerke Bochum, Strom Vorauszahlung Januar | 20,- |

Ben zahlt ... Euro für ...

43

## 2 Hören Sie eine Nachricht für Ben am Telefon. Was ist richtig? Kreuzen Sie an.

**a** Wer ruft an?
- ☐ Die Firma Gewofag.
- ☐ Die Stadtwerke.

**b** Was ist das Problem?
- ☐ Die Wohnung.
- ☐ Die Heizung.

**c** Was möchte der Mann?
- ☐ Er möchte in die Wohnung.
- ☐ Er möchte ins Wohnzimmer.

**d** Wann kommt der Mann?
- ☐ Heute Morgen.
- ☐ Heute Abend.

→ PROJEKT

# Informationen zum Sprachkurs verstehen

**1 Lesen Sie und markieren Sie: die Kurse (rot), die Wochentage (blau), die Uhrzeiten (gelb), die Räume (grün).**

**Wichtige Information – Wichtige Information – Wichtige Information – Wichtige Information**

**Termine für die neuen Integrationskurse [Basiskurs 2 – A1/2]**

**A**
**Intensivkurs** [25 Stunden/Woche] vom 14.04. bis 12.05.
Mo bis Fr von 13:30 bis 18:30 Uhr [Mo und Mi in Raum 212, Di, Do und Fr in Raum 235]
**Kursleitung:** *Caroline Welzel*

**B**
**Abendkurs** [12 Stunden/Woche] vom 14.04. bis 13.06.
Mo bis Do von 18:00 bis 21:00 Uhr [Raum 187]
**Kursleitung:** *Marc Florstädt*

**C**
**Wochenendkurs Prüfungsvorbereitung** vom 28.05. bis 29.05.
Sa von 9:00 bis 16:00 Uhr und So von 9:00 bis 14:00 Uhr [Raum 162]
**Kursleitung:** *Ulrike Stelljes*

Anmeldung im Sekretariat bei Frau Asbeck, Raum 182, Tel: 0531/12 34 60 oder per E-Mail: asbeck@sprachenzentrum.de

**2 Lesen Sie noch einmal und kreuzen Sie an: richtig oder falsch?**

| | | richtig | falsch |
|---|---|---|---|
| a | Der Intensivkurs ist Montag und Mittwoch in Raum 212. Dienstag, Donnerstag und Freitag ist er in Raum 235. | ☐ | ☐ |
| b | Der Intensivkurs ist von halb zwei bis halb sieben. | ☐ | ☐ |
| c | Der Abendkurs ist jeden Tag von sechs bis neun Uhr. | ☐ | ☐ |
| d | Der Abendkurs ist immer am Montag und am Donnerstag. | ☐ | ☐ |
| e | Der Wochenendkurs ist nur am Samstag und Sonntag. | ☐ | ☐ |

CD 3 44

**3 Tut mir leid, ich gehe heute schon um ...
Hören Sie die Gespräche und ordnen Sie zu.**

a Herr Koffi geht heute schon um 15 Uhr. Er geht noch — zur Arbeitsagentur.
b Herr Melnik geht heute auch schon um 15 Uhr. Er geht noch — zum Arzt.
c Frau Rydland kommt morgen erst um 14 Uhr. Sie geht — zur Fahrschule.

**4 Und jetzt Sie. Wählen Sie eine Situation und sprechen Sie.**

***Kursteilnehmerin/Kursteilnehmer***
*Frau/Herr ...?*
*Ich gehe heute schon um ... Uhr.*
*Ich komme morgen erst um ... Uhr.*
*Ich gehe zum/zur ...*
*Tut mir leid.*
*Ist das in Ordnung?*

***Lehrerin/Lehrer***
*Alles klar!*
*Kein Problem!*

Deutschkurs A1
13.30 – 17.30 Uhr

| morgen, 14 Uhr zum Arzt | heute, 11 Uhr zur Arbeitsagentur | heute, 16 Uhr zur Fahrschule | morgen, 14.30 Uhr zum Konsulat |
|---|---|---|---|

→ PROJEKT

**1** **Lesen Sie und markieren Sie:**

- die Institutionen
- Wie alt sind die Kinder dort?

## Leben und Wohnen in Neustadt – Familien willkommen!

**Sie brauchen eine Betreuung für Ihr Kind? Dann wählen Sie! Es gibt viele Möglichkeiten!**

- In Kinderkrippen sind die Kinder neun Wochen bis drei Jahre alt. Pädagogen betreuen die Kinder dort in Gruppen. In einer Krippengruppe sind maximal zwölf Kinder.

- In Kindergärten sind die Kinder drei bis sechs Jahre alt. 20 bis maximal 25 Kinder sind dort in einer Gruppe.

- Horte sind für Schulkinder. Die Kinder im Hort sind sechs bis 14 Jahre alt. Sie essen dort zu Mittag, machen Hausaufgaben und spielen. In einer Hortgruppe sind maximal 25 Kinder.

- Tagesmütter betreuen kleine Kinder. Die meisten Kinder sind acht Wochen bis drei Jahre alt. Bei einer Tagesmutter sind maximal fünf Kinder.

Haben Sie noch Fragen? Brauchen Sie Adressen und Telefonnummern?
Dann kommen Sie zu uns oder rufen Sie uns an!

**Amt für Kinder, Jugend und Familie**
Schopenhauerstr. 4, 25471 Neustadt
Tel.: 0251/220-2230

**Öffnungszeiten:**
Mo, Di, Do: 8:30 – 12:00 Uhr und 14:00 – 16:30 Uhr

**2** **Lesen Sie. Welche Institutionen aus 1 passen? Ordnen Sie zu.**

**A**

Wir haben einen Sohn, Simon. Er ist sechs Jahre alt und geht schon in die Schule. Meine Frau und ich arbeiten. Wir sind erst um 17 Uhr zu Hause.

**B**

Meine Tochter Clara ist elf Monate alt. Ich möchte am Vormittag wieder arbeiten.

**C**

Ich mache jetzt einen Deutschkurs und ich habe jeden Vormittag Unterricht. Meine Tochter Maria ist vier Jahre alt. Ich brauche jetzt einen Betreuungsplatz für sie.

| | Kinderkrippe | Kindergarten | Hort | Tagesmutter |
|---|---|---|---|---|
| A | | | | |
| B | | | | |
| C | | | | |

PROJEKT

# Schriftliche Arbeitsaufträge verstehen

## SauberMax GmbH

Laufzettel

Mitarbeiter/in: Anja Dengler
Datum: Di, 7.5.
Unterschrift: ....................

**Auftraggeber/Kunde:** Städtische Grundschule, Eppsteinstraße

| | Boden wischen | staubsaugen | Toiletten und/oder Waschbecken putzen | Fenster putzen | Papierkörbe leeren | Sonderwünsche |
|---|---|---|---|---|---|---|
| Klassenzimmer | Di/Mi Do/Fr | Mittwoch | Mo/Mi | Fr | jeden Tag | — |
| Lehrerzimmer | Di/Fr | — | — | Mi | Mo/Mi/Fr | Mi Regale putzen |
| Sekretariat | Di/Fr | — | — | Mi | Mo/Mi/Fr | — |
| Büro Direktor | — | Montag | — | Mi | Mo/Mi/Fr | — |
| Flure/Toiletten | Di/Mi Do/Fr | — | jeden Tag | Fr | jeden Tag | — |

**1 Lesen Sie den Laufzettel von Anja Dengler. Kreuzen Sie an.**

**a** Bei welcher Firma arbeitet sie?
☐ Städtische Grundschule an der Eppsteinstraße ☐ SauberMax GmbH

**b** Welcher Tag ist heute?
☐ Montag ☐ Dienstag ☐ Mittwoch ☐ Donnerstag ☐ Freitag

**c** Wo arbeitet Anja Dengler heute?
☐ In der Städtischen Grundschule an der Eppsteinstraße
☐ In der Firma SauberMax GmbH

**d** In welchen Zimmern arbeitet sie heute?
☐ In den Klassenzimmern ☐ Im Lehrerzimmer ☐ Im Sekretariat
☐ Im Büro des Direktors ☐ In den Fluren und Toiletten

**e** Was macht sie heute dort?

☐ Den Boden wischen ☐ Staubsaugen ☐ Die Toiletten und Waschbecken putzen ☐ Die Fenster putzen ☐ Die Papierkörbe leeren ☐ Die Regale im Lehrerzimmer putzen

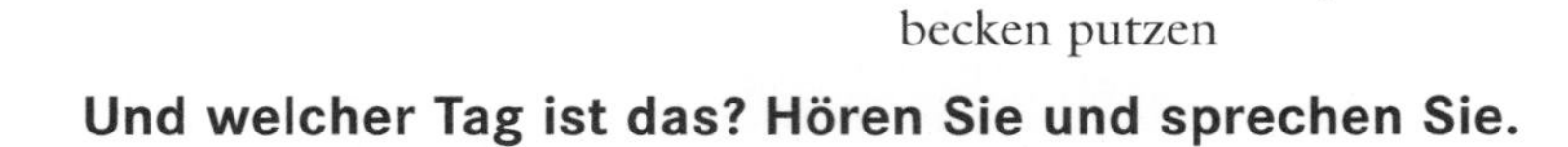

CD 3 45

**2 Und welcher Tag ist das? Hören Sie und sprechen Sie.**

**a** Was macht Anja alles? Markieren Sie oben auf dem Laufzettel.
**b** Welcher Tag ist das? Wissen Sie es?

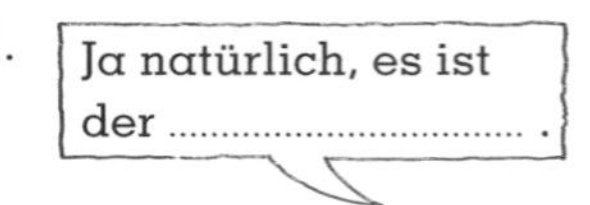


PROJEKT

**1** **Monir besucht seinen Bruder in Dortmund.**

Am Samstag besucht Monir seinen Bruder in Dortmund.
Monir wohnt in Hamburg und hat kein Auto. Der Zug ist leider sehr teuer, der Bus auch. Aber Monir hat eine Idee!
Er sucht im Internet und findet die Seite www.mitfahren.de

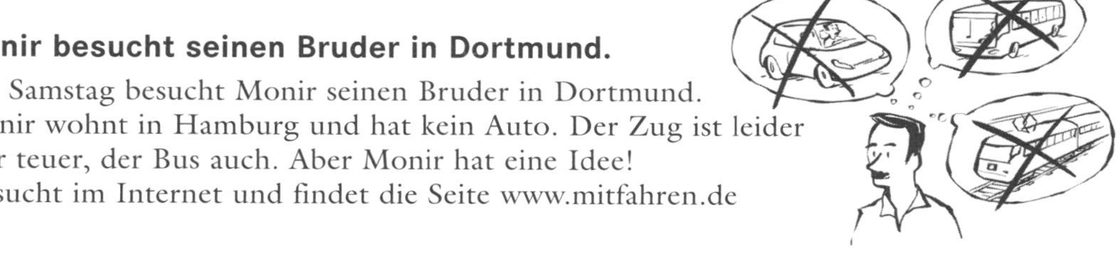

**a** Was macht Monir zuerst auf der Seite im Internet? Was schreibt Monir? Was klickt er an?

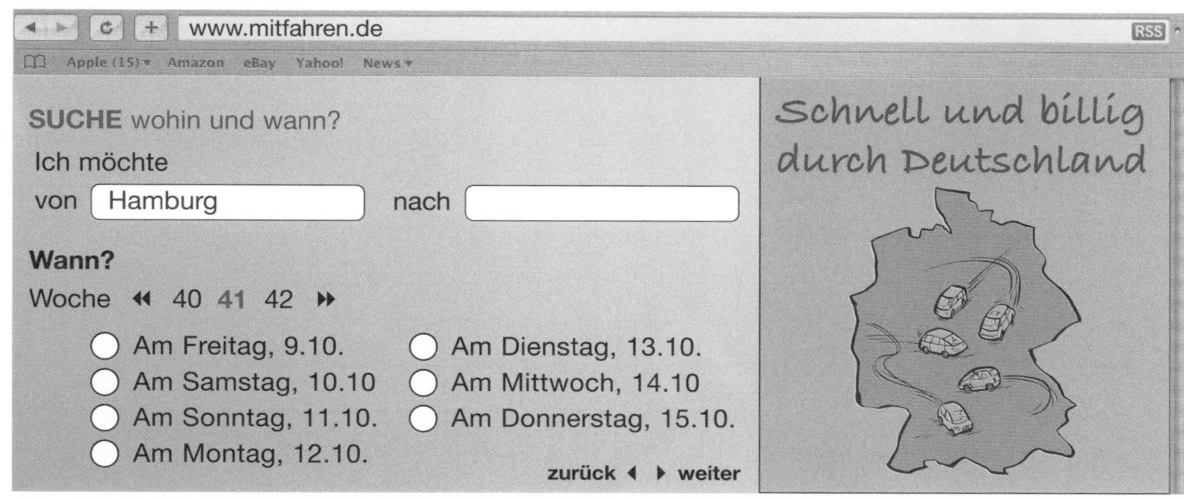


**b** Monir findet ein Angebot von Thomas Meier. Er möchte Thomas Meier eine Nachricht senden. Was klickt er hier an?

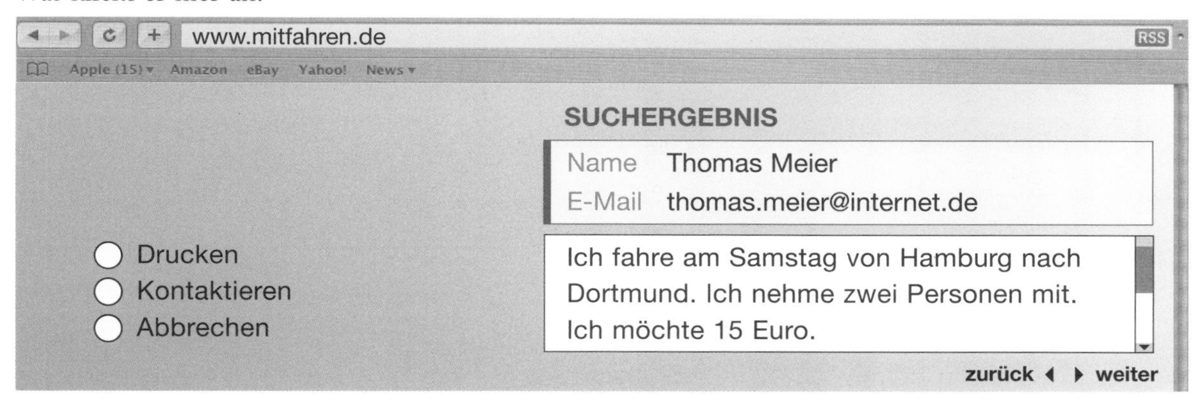


**c** Monir möchte mit Thomas Meier fahren. Er antwortet Thomas. Was klickt er jetzt an?

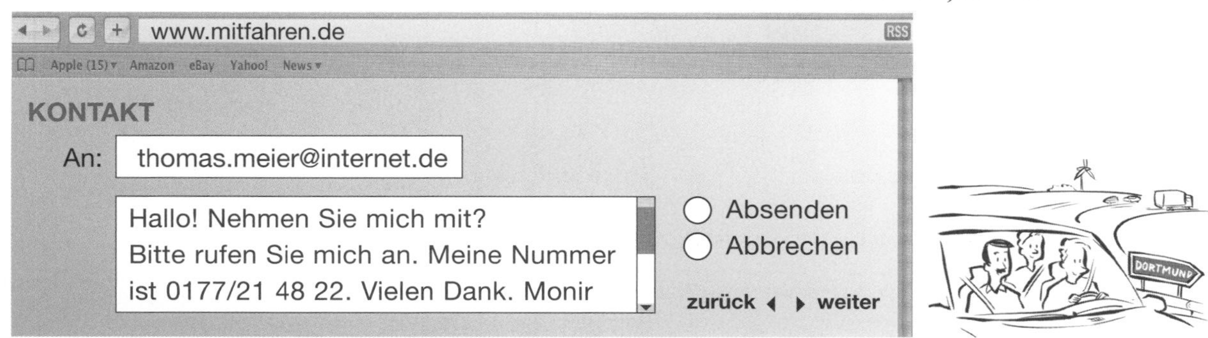

# Sich telefonisch krankmelden

CD3 46

## 1 Frau Olbrich ist krank.

**a** Lesen Sie das Gespräch. Wer sagt was? Ordnen Sie zu.

**b** Ordnen Sie das Gespräch (1, 2, 3 …). Hören Sie dann und vergleichen Sie.

- [2] Guten Morgen, Herr Amann. Hier ist Annette Olbrich.
- [ ] Na dann: Gute Besserung, Frau Olbrich!
- [ ] Nein, aber ich gehe jetzt gleich.
- [ ] Guten Morgen, Frau Olbrich.
- [1] Telmitecs GmbH. Amann. Guten Morgen.
- [ ] Vielen Dank, Herr Amann, tschüs.
- [ ] Oje. Sind Sie schon zum Arzt gegangen?
- [ ] Ich kann heute leider nicht zur Arbeit kommen. Ich bin krank.

CD3 47-48

## 2 Ich kann heute leider nicht zur Arbeit kommen …

**a** Hören Sie die Gespräche.

▲ Herr Brummer

▼ Frau Schön

▲ Brummer. Hallo?
▼ Guten Tag! Hier spricht Adelheid Schön.

● Hallo, Herr Brummer / Frau Schön.
Hier ist …………………… …………………… .
Ich komme heute nicht zur Arbeit. /
Ich kann heute (leider) nicht zur Arbeit kommen.

▲ So? Warum denn nicht?
▼ Oh? Was ist denn?

● Ich bin krank.

▲ So? Aha! Und wann kommen Sie wieder?
▼ Oh! Das tut mir leid. Wann können Sie denn wieder kommen?

● Das weiß ich noch nicht. Ich melde mich wieder.
Ich denke, bald. /
Nächsten Montag/Dienstag/…

**b** Rollenspiel: Spielen Sie Gespräche.

| Sie sind der Chef (Herr Brummer) oder die Chefin (Frau Schön). |
|---|

| Sie sind krank und rufen in der Firma an. |
|---|

**1** **Lesen Sie die Aussagen und die Texte. Ordnen Sie zu.**

| Person | Peter | Sabrina | Tibor |
| --- | --- | --- | --- |
| Text | | | |

1

Peter

Mein Sohn Frank hat große Probleme in Mathematik. Leider! Und meine Frau und ich arbeiten den ganzen Tag, wir können nicht helfen. Jetzt geht er in ein Nachhilfeinstitut. Das ist teuer, aber vielleicht hilft es!

2

Sabrina

In Französisch bin ich leider gar nicht gut. Ich verstehe die Grammatik einfach nicht. Aber jetzt kann man nachmittags in der Schule bleiben und Hausaufgaben machen. Da hilft mir dann ein Schüler aus der 12. Klasse und vielleicht verstehe ich die Grammatik dann auch endlich.

3

Tibor

Ich habe große Probleme in Deutsch und in anderen Fächern gehabt. Aber es gibt da einen Verein. Dort bekommt man Hilfe und das kostet auch nichts. Da gehe ich zweimal pro Woche hin und mein Deutsch ist jetzt wirklich gut!

**A**

### Johann-Gutenberg-Schule

**Liebe Eltern,**
jetzt hat auch die Johann-Gutenberg-Schule Hausaufgabenbetreuung am Nachmittag! Lehrer oder Schüler der Klassen 11 und 12 helfen bei den Aufgaben. Die Betreuung ist von Montag bis Donnerstag von 14.30 bis 16.00 Uhr und kostet 16 Euro pro Monat.

**Anmeldung und weitere Informationen im Sekretariat bei Frau Fischer (Raum 110, Tel.: 669219).**

**B**

### Lernfit – Die Nachhilfeschule!

Intensive Nachhilfe
bei Lernproblemen!
Alle Fächer, alle Schulklassen
Kleingruppen und Einzelunterricht
kostenloser Probeunterricht!

Einzelstunden nur
30 Euro pro Stunde!

**C**

### Lernhilfe e.V.

Wir unterstützen ausländische Schülerinnen und Schüler bei Lernproblemen und bei der Integration.
Kleine Lerngruppen, nur 4 Teilnehmer pro Gruppe.
Keine Kosten für die Schüler! Die Kosten übernimmt die Stadt!

Information und Beratung
Uschi Sendler

**2** **Lesen Sie die Aussagen und die Texte noch einmal. Ordnen Sie zu.**

| Wer? | Probleme in … | Institut? | Kosten? |
| --- | --- | --- | --- |
| Frank | Französisch | Lernhilfe | 16 Euro pro Monat |
| Sabrina | Deutsch | Lernfit | 30 Euro pro Stunde |
| Tibor | Mathematik | Johann-Gutenberg-Schule | kostenlos |

PROJEKT

# Wortliste

*Die alphabetische Wortliste enthält die Wörter dieses Buches mit Angabe der Seiten, auf denen sie zuerst vorkommen. Wörter, die für die Prüfung „Start 1/2“ und für „Deutsch Test für Zuwanderer“ (DTZ) nicht verlangt werden, sind kursiv gedruckt. Bei allen Wörtern sind die Wortakzente gekennzeichnet. Ein Punkt (a) heißt kurzer Vokal, ein Unterstrich (o) langer Vokal. Steht der Artikel in Klammer, gebraucht man die Nomen meistens ohne Artikel. Nomen mit der Angabe „nur Singular“ verwendet man nicht oder nur selten im Plural. Nomen mit der Angabe „nur Plural“ verwendet man nicht oder nur selten im Singular. Trennbare Verben sind durch einen Punkt nach der Vorsilbe gekennzeichnet (an·fangen).*

ab 45 AB 125, 149
der Abend, -e 10, 17, 46
der Abendkurs, -e 54 AB 168
abends 51
aber 13, 24, 38
*der Abschied, -e 17*
*der Abschnitt, -e 78*
ach 22, 23, 52
die Adresse, -n 25, 49, AB 93
*(das) Afghanistan 12, 24*
*(das) Afrika 76*
*afrikanisch 67*
*die Agentur für Arbeit 58*
*ah 24, 11, 15*
aha 38, 53, AB 87
*das Akkordeon, -s 14*
*der Akkusativ, -e 69, 76*
*(das) Algerien AB 89*
alle 28, 71, AB 146
allein 70, 71, AB 145
alles 36, 57, 65
der Alltag (nur Singular) F 162, 163, 164
das Alphabet, -e 14
also 46, 61, 64
alt 25, 26, 43
das Alter, - 25, 28, 67
das Amt, ¨-er F 169
am 51, 54, 55
andere 27, F 173
anders AB 134
an·fangen 54
die Angabe, -n 27
das Angebot, -e F 171
die Anzeige, -en 46
*an·klicken F 171*
an·kreuzen 21, 25, 26
an·melden F 163
*der Anmeldeschein, -e F 163*
die Anmeldung, -en 16, F 168, 173
an·rufen 53, 55, 56
an·sehen 8, 20, 22
die Antwort, -en AB 110, 112, 124
antworten 12, 32, 35
*die Anweisung, -en F 171*
die Anzeige, -n 45, 67, AB 126
das Apartment, -s 45, F 167
der Apfel, ¨ 30, 31, 33
der Apfelkuchen, - 36, AB 120
der Apfelsaft, ¨-e 63, 65, 66
der April, -e F 164
*das Arabisch (nur Singular) 13, AB 89, 92*
die Arbeit, -en 58 F 172
arbeiten 51, 53, 55
*die Arbeitsagentur, -en F 168*
*der Arbeitsauftrag, ¨-e F 170*
das Arbeitsbuch, ¨-er 85
das Arbeitszimmer, - AB 121
*der Artikel, - 37, 47, 69*
der Arzt, ¨-e 55, 74, 78
*die Arztpraxis, -praxen 58*
*das Asia-Gemüse (nur Singular) F 165*
*das Asia-Produkt, -e F 165*
*asiatisch F 165*
*der Atlas, die Atlasse / die Atlanten AB 104*
auch 13, 22, 32
auf 26, 33
die Aufgabe, -n F 166, 173
auf·räumen 53, 55, 60
auf·stehen 51, 53, 54
der Auftraggeber, - F 170
aus 9, 11, 12
der Ausflug, ¨-e 78
aus·füllen 25, 28, 78
ausländisch F 173
*der Ausruf, -e 81*
die Aussage, -n 17, 76, F 173
aus·sehen 81
aus·suchen 81
das Auto, -s AB 145, F 166, 171
das Baby, -s 14, 26
backen 36, 71
die Bäckerei, -en 36, AB 119, 120
das Bad, ¨-er 40, 41, 42
*der Badeanzug, ¨-e AB 143, 147*
baden 57
die Badewanne, -n 44
der Bahnhof, ¨-e 58
bald 49, F 172
der Balkon, -e 42, 43, 45
die Banane, -n 30, 33, 34
die Bank, -en F 165
*der Bankeinzug, ¨-e F 165*
die Bankleitzahl, -en F 165
*der Basiskurs, -e F 168*
*der Basketball, ¨-e 75*
*der Becher, - 35*
bedeuten AB 125
*das Befinden (nur Singular) 27*
die Begrüßung, -en 17
bei 10, 68, 75
das Beispiel, -e; zum Beispiel 11, 14, 38
bekommen F 173
bequem AB 126
die Beratung, -en F 173
der Beruf, -e F 170, 172
beschreiben 47
besondere 78
besser 41
die Besserung: gute Besserung (nur Singular) F 172
bestellen F 165
die Bestellung, -en F 165
bestimmt 69
besuchen 75, F 171
*die Betonung, -en AB 87, 96, 108*
*betragen F 167*
betreuen F 169
die Betreuung, -en F 169, 173
*der Betreuungsplatz, ¨-e F 169*
das Bett, -en 44, 49, 60
*bewölkt 64, 68, AB 140*
bezahlen 45, AB 155, F 165
das Bier, -e 32, 65
das Bild, -er 32, 34, 44
*bilden 75, AB 109*
billig 43, 48, AB 119
die Birne, -n 33
bis bald AB 157
*bis dahin AB 146*
bis 45, 51, 54
bisschen: ein bisschen 13, 38, 75
bitte schön 36
bitte 15, 16, 32
bitten 17
blau 44, AB 127, F 168
bleiben F 173
*boah! 81*
der Boden, ¨-en F 170
*das Boxen (nur Singular) 67*
brauchen 31, 32, 36
braun 44
breit 43, 46, AB 121
die Breite, -n AB 126
der Brief, -e 67, 76, AB 93
der Brieffreund, -e 67
der Briefumschlag, ¨-e AB 93
bringen 60, 61, 74
das Brot, -e 32, 34, 35
das Brötchen, - 33, 34, 35
*brr! 80*
der Bruder, ¨ 21, 23, 24
das Buch, ¨-er 61, AB 121, 124
der Buchstabe, -n 14, AB 91, 110
*die Buchstabenmaus, ¨-e 15*
buchstabieren 15, 16, AB 144
*das Bundesland, ¨-er AB 104*
das Büro, -s F 170
der Bus, -se 78, F 171
die Butter (nur Singular) 35, AB 114, 115
ca. = circa 45, 49, AB 125
die CD, -s F 163
die CD-ROM, -s F 163
der Cent, -s 14, 35, 36
der Chef, -s F 172
*(das) China 24*
circa 64
der Club, -s 70, AB 159
die Cola, -/-s 62, 63, 65
der Computer, - AB 146
der Computertisch, -e 46, AB 143
*das Currypulver, - F 165*
*die Currywurst, ¨-e 65, 77*
da 15, 23, 38
dabei 63, 66, AB 145
meine Damen und Herren 10, AB 86
danach 77
der Dank (nur Singular) AB 149, 154
danke 9, 10, 15
danken 17
dann 15, 22, 36
das 8, 9, 10
das Datum, die Daten F 163, 170
dein/-e 67, AB 127, 149
dem 12, 78, AB 140
den 13, 28, 35
denken AB 131, F 172
denn 21, 24, 38
der 9, 12, 13
*das Detail, -s F 165 10559*
*(das) Deutsch als Fremdsprache 16*
*das Deutsch (nur Singular) 13, 18, 19*
*das Deutschbuch, ¨-er 66*
*der Deutschkurs, -e 55, 66, 78*
*(das) Deutschland 12, 16, 18*
*deutschsprachig 26, AB 104*
*der Deutschunterricht (nur Singular) 78*
dich AB 146
die 8, 11, 15
der Dienstag, -e 54, 55, 68
diese 48, AB 147
diesmal 78
*das Diktat, -e 72, 73, 76*
*diktieren 45*
dir 22, AB 96, 154
der Direktor, -en F 170
doch 33, 38, 43
der Donnerstag, -e 54, 68, AB 133

# Quellenverzeichnis

Umschlag: © Hueber Verlag/Alexander Keller

Seite 11: unten vl: © Hueber Verlag/Franz Specht; © dpa Picture-Alliance; © dpa Picture-Alliance/schroewig; © Disney
Seite 15: oben vl: © bildunion; © Thinkstock/Medio-images/Photodisc
Seite 25: D4 © Hueber Verlag/Franz Specht
Seite 26: Hamburg © PantherMedia/Michael Reicke; Karte © Hueber Verlag/Jörg Saupe; Berlin © MEV/Eisele Reinhard; Zürich © Thinkstock/iStock/elxeneize; Wien © Österreich-Werbung/R.Liebing; a © MEV/Witschel Mike; c © EyeWire; d © Hueber Verlag/Valeska Hagner
Seite 28/29: Hintergrund: Frau links © Hueber Verlag/Franz Specht; Familie © fotolia/Yanik Chauvin
Seite 33: a – f © Hueber Verlag/Franz Specht
Seite 35: © Hueber Verlag/Franz Specht
Seite 44: 1, 4, 5, 6, 9, 13 © IKEA; 2 © Quelle GmbH; 3 © iStock/swilmor; 7 © fotolia/Ericos; 8 © PantherMedia/Meseritsch Herby; 10 © fotolia/auris; 11 © fotolia/terex; 12 © PantherMedia/Ralf Kochems
Seite 46: E2 vl: © iStockphoto/dsteller; © fotolia/Irina Fischer; E 3 © Hueber Verlag/Franz Specht
Seite 48/49: © Hueber Verlag/Franz Specht
Seite 52: unten © Hueber Verlag/Franz Specht
Seite 55: © BananaStock
Seite 57: oben vl: © fotolia/Liv Friis-Larsen; © Thinkstock/Stockbyte/Jupiterimages; unten vl: © fotolia/BiankaHagge; © fotolia/Amridesign
Seite 60/61: © Hueber Verlag/Franz Specht
Seite 64: Wetterkarte © Hueber Verlag
Seite 67: D1: A © Bildunion/10027; B © fotolia/Anna Chelnokova; C © fotolia/Andrejs Pidjass; D © iStockphoto/Spanishalex; E © fotolia/Gregg Dunnett; F © fotolia/Franz Pfluegl; G © PantherMedia/Liadon; H © fotolia/matttilda; D3 Mitte © MEV/Witschel Mike
Seite 70/71: © Hueber Verlag/Franz Specht
Seite 78: oben © Hueber Verlag/Dieter Reichler; unten © irisblende.de (2)
Seite 87: oben © Hueber Verlag; unten © Hueber Verlag/Jens Funke
Seite 89: Mitte © Hueber Verlag/Dieter Reichler; rechts © Photodisc
Seite 92: © Hueber Verlag
Seite 93: © Hueber Verlag
Seite 97: Hueber Verlag/Birgit Tomaszewski
Seite 99: © MEV
Seite 103: oben und unten © Hueber Verlag
Seite 110: © Hueber Verlag/Marlene Kern
Seite 121: © Hueber Verlag
Seite 131: © Hueber Verlag
Seite 136: © Hueber Verlag
Seite 140: © Hueber Verlag
Seite 148: b © Pixtal; c – e und Mitte © Hueber Verlag/Dieter Reichler
Seite 159: © Hueber Verlag/Yassin Saidi
Seite 164: © Hueber Verlag/Florian Bachmeier
Seite 165: oben © jump/K. Vey; Produkte © Hueber Verlag/Katharina Kiermeir
Seite 167: © Fotosearch/Ingram Publishing
Seite 169: von oben: © Colourbox; © iStockphoto/MonikaAdamczyk; © irisblende.de; © imago; A © fotolia/Pavel Losevsky; B © iStockphoto/Brad Killer; C © Creatas
Seite 172: oben vl: © Superbild; © fotolia/asiana; unten vl: © PantherMedia/Robert Kneschke; © fotolia/nyul
Seite 173: 1 © iStockphoto/Kemter; 2 © fotolia/Adrien Roussel; 3 © iStockphoto/Aldo Murillo

Alle anderen Fotos: Hueber Verlag/Alexander Keller

Der Verlag bedankt sich für das freundliche Entgegenkommen bei den Fotoaufnahmen bei: Unternehmensgruppe Tengelmann; Feinkost „Gonimo“, Inh. Theodoros Tapsis, München